무릎 구부리기

무릎 구부리기

발　행 l 2024년 07월 02일
저　자 l 루시랄라
그림/디자인 l 진지한 책방
펴낸이 l 한건희
펴낸곳 l 주식회사 부크크
출판사등록 l 2014.07.15.(제2014-16호)
주　소 l 서울특별시 금천구 가산디지털1로 119 SK트윈타워 A동 305호
전　화 l 1670-8316
이메일 l info@bookk.co.kr

ISBN l 979-11-410-9196-5

무릎 구부리기

루시랄라 지음
진지한 책방 그림/디자인

차례

3부. 스웨덴 이야기 ○

1부

우리들만의 아메리칸 드림

1. 도전은 해볼 만하다

2005년 무더운 여름이 피부에 흘러내릴 것 같던 8월, 갓 결혼한 남편과 나는 인천을 떠나 뉴욕 JFK 공항에서 미국 동부 펜실베이니아주에 위치한 스테이트 칼리지(State college)로 향하는 작은 경비행기에 올라탔다. 두근거림과 함께한 이십 대의 마지막 해! 드디어 미국이라는 대륙에 발을 내디뎠다.

셔츠의 단추를 이삼일에 한 번씩은 잘못 끼우는 남편이 그나마 남들보다 조금 잘하던 게 공부였다. 어린 시절부터 장학금이 운 좋게 따라다녔고, 어른들로부터 머리가 좋다는 말을 들었다. 박사 과정 1년 차 때에도 그랬다. 과목마다 성적이 좋아 교수님들의 눈에 들기 시작했다. 순조롭게 1년이 흘러갔고 순풍을 만나 예상보다 빨리 도착지에 이를 수도 있을 것 같았다.

그런데 문제가 생겼다.

남편의 지도교수님이 남편에게 2년 차 박사과정 수업을 더 이상 듣지 말라고 하였다. 지금부터 이수해야 할 학점은 지도 교수 본인과의 리서치 미팅이나 세미나로 대신할 수 있으니, 앞으로는 강의에 시간을 소비하지 말고 연구만 하라는 지시를 받게 되었다. 고용한 지도 교수의 '박사과정 수업을 받지 말라'는 요청에 대해 여기저기 알아보니 박사과정 2년간의 수업은 학생의 경력에 매우, 지대한 영향을 미치는 학생의 권리라 하였고, 지도 교수가 세미나 리서치 미팅으로 수업을 대체 하는 것은 흔히 일어나지 않는 불합리한 것이라 하였다. 결국, 남편이 우겨 수업을 신청했고 지도 교수가 쪼기 시작했다. 남편은 학생의 강의받는 시간조차 아까워 일을 시키려는 지도 교수 밑에서 박사를 받는 것이 자신의 미래를 위해서 도움이 되지 않을 것이라 하였다.

남편은 학교를 옮기기로 마음을 먹었다. 학교를 옮기기 위해 아홉 개 대학에 다시 박사과정 지원서를 넣었다. 그리고 전부 떨어졌다. 나중에 알게 된 사실이지만 지도 교수의 추천서가 문제가 되었던 것 같았다. 도전과 희망이 있던 마음 한자리에 불안과 초조라는 가볍지 않은 단어들이 새롭게 자리를 채워 갔다.

 추위가 가시지 않은 이른 봄,

 "그냥 한국 갈까? 넌 직장 복직하고 나도 회사 지원하면..."
 "아니! 일 년만 더 도전해 보고 결정하자. 쉽게 온 거 아니잖아. 아직 굶는 것도 아니고!"

 남편과의 대화가 오고 갔고, 지금의 나로서는 많이 고민했을 선택을 그때는 그렇게 어렵지 않게 할 수 있었다. 다행히 남편의 학과에서 지도교수님이 주시던 장학금을 대체해 학비와 생활비를 지원해 주었고, 여기에 운 좋게 얻은 서로의 과외가 아슬아슬한 통장의 잔고도 채워 주었다.

 남편은 미국 생활 3년 차에 또 지원을 시작했다. 전해 아홉 개 대학에서 모두 낙방한 남편이 다시 열세 개 대학원에 지원서를 넣었다. 그런데 또 불합격 통지서가 하나, 둘 찾아들기 시작했다. 이번에도 다 떨어지면 어쩌지라는 불안감에 답답한 날이 많았다. 남편은 2년 동안 22개 대학 중 21개의 대학으로부터 불합격 통지서를 받았다.

 그런데, 기적처럼 인터뷰 요청이 한 대학에서 들어왔다. 스테이트 칼리지(State college)로부터 자동차로 여덟 시간 걸리는 뉴헤이븐(New haven)에 위치한 예일 대학(Yale University)으로부터의 소식이었다. 티제이 맥스 (T.J. Max: 브랜드 할인 매장)에서 급하게 재킷을 사고, 보슬보슬 눈이 내리던 어느 날 운전대를 잡았다.
 남편의 예일 대학원 박사 인터뷰 첫째 날은 본교에서 진행되는
실험실이나 각 학과의 연구와 관련된 대략적인 소개가 이루어졌다.
 본격적인 인터뷰는 둘째 날인데, 한 명의 학생마다 총 8명의
교수님이 각각 30분씩 4시간에 걸쳐 인터뷰가 진행된다.

〈길의 끝에 돛단배가 있기를〉

 남편은 인터뷰를 잘 마칠 수 있었고, 대학에서 주는 5년
fellowship 장학금과 함께 다시 박사 합격 통지서를 받았다.
5년 후 박사과정을 마치고, 포닥(박사 후 과정)에 지원하던 남편
에게 예일대 지도교수가 넌지시 던진 이야기가 인상적이다.
 "앞으로 네 포닥 지원 서류에 예전 학교 지도교수님의 추천서
는 절대 Never, ever 넣지 말기를!"

결국 추천서가 문제였구나! 남편은 21개 대학 지원을 낙방으로 이끈 고배의 원인을 찾을 수 있어서 시원하다고 하였다. 원하면 뭐든 이룰 것 같았던 혼란스러웠던 갈등의 시간 안에서 우리 부부가 자연스럽게 배운 게 있다면 '꿈은 이루어진다'가 아니라, '꿈에는 대가가 따른다'라는 사실이었다. 고민을 해도 포기할 수 없다면 어쩔 수 없다. 불안과 초조, 우울과 실망, 집중과 기다림이라는 대가를 치러내야 한다. 그렇게 적절히 대가를 치렀을 때야 그 길의 끝에〈또 다른 기회〉를 만나게 되는 것 같다. 계획했던 것보다 훨씬 많은 시간이 흘러 버렸지만, 그런 대가를 치러내며 우리는 조금씩 단단해지고 있었다.

2. 유학생 부부의 Home Sweet Home

스테이트칼리지(State College)를 벗어나 뉴헤이븐(New haven)으로 옮긴 후, 나도 남편의 학교 근처 주립대(SCSU)에서 특수교육 석사 과정에 지원하였고, 공부할 기회가 생기게 되었다. 도서관과 집을 오가며 시간은 빠르게 흘러갔고 계절도 바뀌어 갔다.

그즈음, 분주하고 살뜰히 자신의 삶을 챙기던 한국의 친구들에게서도 결혼, 출산, 집 마련 등에 대한 소식들이 간간이 들려왔다. 남편과 나도 공부 외에 출산과 집에 대한 화제가 대화의 주제가 되곤 하였다. 매달 내는 월세와 각종 공과금이 만만치 않았다.

뉴헤이븐의 첫 번째 집은 대학교가 소유한 부동산 회사에서 학생들에게 렌트를 제공하던 아파트였는데, 아침마다 창문을 열면 옆 건물의 허름한 벽면이 눈앞 30cm 앞에 활짝 펼쳐지곤 했다. 이 야릇한 전망권을 지닌 뉴헤이븐의 첫 아파트를 생각하면 제일 먼저 쥐가 떠오른다. 철마다 관리인이 쥐덫을 갖고 방문하던 신기한 곳이었는데, 우연히 손님이 올 때마다 쥐덫에 걸린 쥐가 '찌익 찍찍찍' 함께 환영해 주곤 했다. 오랜만에 놀러 온 절친했던 친구 가족이 '헉'하며 놀랐던 모습이 떠오른다.

그래도 나쁘지 않았다. 모두가 웃었고, 겨울에 중앙난방 하나는 또 끝내주게 잘되는 집인지라 미국 동부의 시리고 추웠던 겨울철 칼바람에도 반소매 티셔츠를 입고 살 수 있었다.

그다음 집은 렌트비가 750달러였던 것으로 기억한다. 이사를 결심한 이유는 순전히 렌트비 때문이었다. 좀 더 저렴한 가격의 집들이 우리를 유혹했다. 첫 번째 쥐 나오던 집은 1,000달러를 넘어갔는데 두 번째 집은 이보다 저렴하니 이사할 가치가 있었다. 렌트비가 저렴했던 그곳은, 당시 뉴헤이븐의 소위 슬램 가라고 할 수 있는 마을의 경계에 자리 잡은 집이었는데, 아랫집 청년의 마리화나 피우는 냄새가 자주 올라왔다. '괜찮을 거야! 좀 조심하며 지내면 되지 뭐...'라고 자신 했는데 얼마 지나지 않아, 동네 어디에서 실탄이 발견되었다는 소식, 그리고 또 얼마 지나지 않아 집 근처에서 경찰들이 바리케이드를 쳤다는 이야기도 들려왔다. 휴지통에서 누군가의 시체가 발견되었다는 뉴스가 뒷날 아침 보도 되었다. 어찌 보면 미국에서 살았던 여러 집 중에서 가장 위험한 곳이었다.

근데 이게 참 인생의 묘미인가 싶다.

무섭고 위험했던, 그리고 제일 저렴한 렌트비를 지불했던 그곳에서 우리는 우리 인생의 가장 소중한 인연을 만났다.

딸아이가 태어났다.

〈새 가족〉

3. 엄마가 되다! 생후 6주 최연소 탑승객

　남편은 논문을 쓰느라 꽤 바쁜 나날들을 보내고 있었고, 나 또
한 출산일을 앞두고 특수교육 석사과정 마지막 시험을 준비하느라
하루하루 부지런히 일정을 소화하고 있었다. 얼마 지나 석사과정
마지막 시험을 통과했고, 조금은 여유로운 시간을 맞이할 수 있었
다.

　운동도 하고, 학교에서 제공해 주는 콘서트도 보고, 남편과 함
께 예비 부모를 위한 수업도 신청하였다. 산모의 고통을 체험하기
위해 남편의 두 손에 감자 크기의 얼음조각을 꼭 쥐여주며, '참을
수 없어도 참아!', '얼음 떨어뜨리면 절대 안 돼'… '산모가 느끼
는 고통을 느끼려면 얼음을 더 세게 쥐어!' 고문관처럼 외치던 강
사의 미소가 떠오른다. 출산에 대해서 뭐 하나 아는게 없었지만,
병원이 있었고 젊음을 믿었다.

그런데 양수가 터져 버렸다. 출산 예정일보다 3주 빨리 터진 양수로 미역국을 끓여 냉동실에 보관해 두려던 계획이 무산되었고, 병원에서 신을 슬리퍼와 다행히 미리 사둔 아기 카시트를 챙겨 급하게 병원으로 향하였다.

2010년 4월, 병원에 간 지 이틀 만에 3.14 kg의 덥수룩한 머리숱을 자랑하는 딸아이가 세상에 나왔다. 둘이 나갔는데 셋이 되어 집으로 돌아오니 두 팔 가득 온 세상을 안은 것처럼 기쁨이 충만하였다. 엄마가 되었다.

집에 돌아와 꼬물거리는 아기에게 모유 수유를 시작했는데, 아기는 집으로 돌아온 지 꼭 일주일 만에 선홍색 핏빛 오줌을 쌌다. 병원에 가보니 의사 선생님이 탈수와 영양 부족이 의심된다는 이야기를 해 주셨다. 아기가 모유를 잘 먹고 있다고 생각했는데 그렇지 않았던 모양이었다. 모유 수유가 처음이었던 초보 엄마의 실수였다.

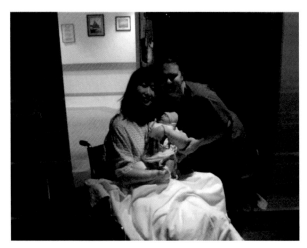

〈꼬물이의 엄마가 되었다〉

의사 선생님은 한 시간에 걸쳐 고농도의 정제된 영양 포뮬러를 처방해 주었고, 모유 수유하는 방법에 대해서 매우 꼼꼼하게 실습을 동반한 상담을 해 주셨다.

출산 후 6주간 많은 일을 겪었다.

아이는 모유를 잘 먹지 못했다고 하는데, 나는 계속 배가 고팠다. 남편이 미역국을 끓이긴 했으나, 시간이 너무나 오래 걸렸다. 요리 대신, 크림 바른 베이글과 오렌지로 배를 계속 채웠는데 살은 하루에 1킬로씩 빠졌다.

남편은 한창 논문의 결과를 내야만 하는 바쁜 시기였고, 대학원 박사생의 월급은 태어난 아기의 기저귀와 분윳값, 장난감, 카시트, 침대 등을 제공해 주기에는 모자람이 있었다. 뭔가 결단이 필요했다.

그즈음, 친하게 지내며 가까운 곳으로 이사 오신 교환교수님 댁 마당 앞에서도 총알의 탄피가 발견되는 사건이 벌어졌다. 정보의 부족으로 우범지대에 집을 구하신 교수님 가족과, 무조건 싼 집을 구하여 살던 우리 가족이 그렇게 이웃이 되었는데, 임신한 당시 집에서 100m 정도 떨어진 곳에서 일어났던 살인사건과 창문을 열 때마다 아래층에서 슬슬 올라오는 마리화나의 냄새가 하루하루 걱정이 되기도 하였다. 산모용 음식과 함께 아기를 보러 와 주시던 교수님 내외분이 우리 집에 오실 때마다 "이 집에서 애를 어떻게 키우려고?"라는 진심 어린 걱정을 많이 해 주셨다. 그 교수님 댁이 때마침 총알 탄피 사건 이후로 '이사 갈 집을 서둘러 알아보고 있다'는 소식이 '우리도 이대로는 안 되겠구나'라는 생각을 더욱 강하게 하였다.

아기를 데리고 한국에 돌아가야겠다는 결심을 하였다. 남편이 박사를 받는 동안 나는 돌아가서 복직하고 경제적으로 가족이 다시 생활할 수 있는 여건을 만들고 싶었다. 딸아이가 태어나서 처음 덮은 흰 천을 곱게 편 뒤 아기를 그 위에 눕히고, 생후 3주 된 아이의 여권 사진을 찍었다. 자~알 나왔다. 떡두꺼비 같이!

여권을 만들러 이민국에 가니 우리가 나름 애쓰며 찍은 사진이 마음에 들지 않는지 여권 담당자가 불평하였다. 배경이 어둡다고 안 될 것 같다고 하는데, 우리 복둥이가 울기 시작한다. 갓 태어난 아기의 계속되는 울음소리에 여권 담당자의 불평이 들어가고 그냥 사진을 달라고 하였다.

여권 통과! 잘했다. 장한 딸!

그렇게 우리 딸은 생후 6주 만에 뉴욕 JFK 공항에서 한국행 비행기를 탔다.

4. 기러기 가족, 외로워지는 아이

생후 6주 만에 한국행 비행기에 오른 아이는 최연소 탑승객이라는 스튜어디스의 친절한 환대를 받으며 한국으로 가는 귀국길에 올랐다. JFK공항에서 나리타 공항을 경유한 뒤 인천에 19시간 만에 도착한 우리 가족을 따뜻이 맞아 준 것은 청주에 사는 큰 언니 가족이었는데, 우선 지방으로 내려가는 비행기를 타기 전에 언니네 집에서 좀 쉬고 갈 생각이었다. 남편은 비행기에서 안압이 올라 눈의 통증을 호소하고 있었고, 나 또한 면역력이 많이 떨어져서인지 알레르기를 동반한 비염 증상으로 눈물, 콧물이 비 오듯 나오는 상황이었다. 간호사 출신인 큰언니는 출산과 산후 관리, 그리고 오랜 비행으로 지쳐버린 우리 가족에게는 그 당시 구세주 같은 존재였다. 아기를 보자마자 따뜻한 물을 받아 숙련된 솜씨로 목욕을 시키고, 곧 상다리가 후들거릴 만한 진수성찬의 식사를 준비해 주었다. 도착한 첫날 밤, 언니가 끓여준 미역국은 '감사와 감동'이었다.

언니 집에서 충분히 휴식을 취한 뒤, 제주행 비행기를 탔다 (우리 부부는 제주 출신인지라).

남편은 얼마 후에 미국으로 돌아갔다. 가급적 박사를 빨리 받겠다는 약속을 남겼고, 나는 남편이 박사를 받는 동안 복직을 하고 차분히 우리 가족이 지낼 만한 저축을 해 볼 심산이었다. 친정 부모님은 원체 〈아가〉라면 금은보화처럼 생각하시는 분들이셨고, 이층에 지내는 오빠 가족도 이제 갓 태어난 딸아이의 존재를 매우 소중하고 따뜻하게 품어 주었다.

곧 복직을 신청하였고, 나는 오랜만에 하는 직장 생활의 즐거움에 푹 빠져 버렸다. 친정엄마가 매일 아침 챙겨주는 따뜻한 밥과 커피까지 든든히 얻어 마시고, 버스를 타고 출근하는 그 시간이 '새로 얻은 인생'처럼 기분 좋은 것이었고, 때마다 잊지 않고 들어오는 소정의 월급이 그 만족감을 더해 주고 있었다. 근무하는 학교의 급식을 먹는 것, 아이들이 부르는 '선생님'이라는 소리, 직장 동료들과 아이디어를 맞대며 수업을 짜고, 새로운 업무를 배워가는 시간 안에서 '일하는 보람'을 느꼈고, 적지 않은 흥분들로 하루하루가 채워졌다. 결혼 전, 친구들과 함께 술 퍼마시며 교육을 비판하고, 직장 생활의 회의를 토로했던 내가 남편과의 유학 생활 5년 만에 이런 행복감을 느끼다니. 참 알 수 없이 흘러가는 것이 인생인가 보다. 그래서 어른들이 젊을 때 고생은 사서도 한다고 말했던 것인가?

모든 게 다 좋았다. 그런데 내가 그렇게 즐거운 시간을 보내고 있었던 그즈음, 나는 서서히 내가 낳은 딸아이를 잊어가고 있었다.

핸드폰의 아이 사진을 틈틈이 보며 만족감을 느끼고 어린 딸의 옷을 사고 장난감을 사 주며 엄마로서의 의무감을 다했다고 생각하던 시절이었다.

아마 그 당시 우리 딸아이의 감각으로는 친정집 이층의 조카들이 언니들이었고, 친정 오빠, 올케언니를 본인의 부모로 인식했는지도 모르겠다. 과거로 돌아가 나의 아이가 어떤 생각을 했는지, 무엇을 받아들이고 있었는지 알 수는 없다. 하지만 어느 순간부터 내가 퇴근하고 집으로 돌아가 딸아이의 이름을 부르면 아이는 멀뚱히 나를 보고는 다시 고개를 돌려 버리곤 하였다.

그리고 그 시절의 상황은 남편도 마찬가지였던 것 같다. 박사를 빨리 받겠다던 남편은 대학원 축구부에 본격적으로 들어갔다. 전화로 들려오는 소식은 같은 과 친구들과의 술자리, 모임, 여행과 관련된 것으로 당최 박사논문과는 관계없는 주변의 일들을 신나게 떠들곤 하였다. 아이가 태어난 지 6주 만에 아빠로서 책임감에서 완전히 해방된 그의 모습은 '자유를 찾아 떠난 젊은 날'로의 회귀 정도로 표현할 수 있을 듯하다.

　우리가 이렇게 각자의 인생을 즐기며 살아가던 그 시절, 우리 아이는 한창 부모와의 애착을 형성해야 할 그때, 정작 부모로부터 많은 외면을 당했던 것 같다. 그리고 한참을 그렇게, 우리가 아이보다는 우리의 인생에 집중하고 있을 무렵, 다시 미국행을 결심하게 된 사건이 일어나게 되었다.

〈혼자 노는 아이〉

5. 다시 미국으로: 아빠! 아빠! 아빠!

  미국에 있는 아빠와 화상 통화를 즐겨하던 20개월이 되어가던 아이가 아빠와 전화할 때면 핸드폰을 아래위로 마구 흔들어 대곤 하였다.

  "핸드폰은 흔드는 거 아니고, 아빠 얼굴 보는 거야."라고 여러 번 이야기 해도 아이는 어김없이 아빠의 얼굴이 핸드폰 화면에 비추면 핸드폰을 사정없이 흔들어 대기 시작했다. 바텐더처럼 정신없이 핸드폰을 흔드는 아이가 이해되지 않았다. 옆에서 그 모습을 말없이 지켜보던 올케언니가

  "아빠 나오라고 하는 거잖아. 핸드폰에 있는 아빠 흔들어서 나오게 하려고."

  '아. 그런 거였구나.'

  "그렇게 해도 아빠 거기서 안 나와, 아빠 어지러워."라는 말에 이내 울음을 터트렸던 만 두 돌의 아이에게 저 멀리 있는 아빠의 존재를 이해시키는 것은 애초부터 불가능한 일이었다.

  차차 시간이 흐르면서 아이는 택시 기사 아저씨에게도, 이웃집 할아버지에게도, 지나가던 동네 청소년에게도 '아빠'라고 부르기 시작하였다. 왜 그랬을까? 사실상 볼 수 없는 아빠라는 존재의 그리움? 아니면 아빠를 받아들이는 정체성의 혼란? 그것도 아니면 그냥 까꿍처럼 '아빠'라는 소리의 유희 같은? 무엇이 답인지 지금도 모르겠지만, 그 시절 아무 데서나 그리고 아무에게나 부르짖는 아이의 '아빠'라는 소리가 '이렇게 계속 살아도 되나?'라는 막연한 불안감을 불러왔었던 것 같다.

  그리고 인생의 중요한 선택과 결정의 저 너머에는 항상 〈타이밍〉의 절묘함이 있다.

미국에서 남편의 교통사고 소식이 들려왔다. 트럭을 몰고 이사를 하던 도중 트럭 운전이 서툴렀던 남편이 대학교 기숙사에 주차해 있던 차들을 차례차례 박아 버린 사건이었는데, 기숙사에 있던 대학원생들이 모두 이 기이한 교통사고를 두고 이런저런 해석이 분분하였다고 한다. 술에 취했거나, 운전면허증이 없거나 아니면 약을 먹었거나. 그러나 기타 등등의 어느 카테고리 안에도 들어가지 않는 남편의 운전 실력은 말 그대로 기이한 것이었다.

주말을 맞아 오랜만에 딸아이를 데리고 놀이터로 나왔는데, 남편으로부터 또 전화가 걸려 왔다. 교통사고를 처리하기가 이만저만 힘든 게 아니라고 하였다. 자신이 밀어버린 차 중에 순수 영문학을 전공하던 대학원 〈똘녀〉의 차도 있었는데 그녀가 날마다 남편의 기숙사 문을 두드리며 보험처리의 진행 정도를 아침저녁으로 물어대고 있어 집에 들어가기가 겁이 난다는 것이었다. 남편이 본인의 기숙사 아파트 앞에 붙여둔 〈I AM NOT AT HOME〉이라는 메모도 그녀가 박박 찢어버리는 걸 옆집 대학원생이 목격하여 남편에게 상세히 이야기해 준 상태였다.

'똘녀: 영어로는 Psyco' 그녀가 이 별명을 얻게 된 데에는 그만한 사연이 있다. TV 소음이 있거나, 주차를 좀 비틀게 했거나, 음식 냄새가 심하거나, 아이가 울거나. 등등의 아주 자잘하고 사소한 대학원생들의 인간사가 벌어지는 곳이라면 언제 어디서건 그녀가 불쑥 나타나곤 하였다. 그러고는 곧 '오만과 편견'의 대화체에나 나올법한 화려하며 현학적인 문어체 영어와 함께, 쉼 없는 컴플레인을 속사포처럼 30분 이상 쏟아 낼 수 있는 가히 막가파적인 에너지를 발산하였다. 예일대학원에서도 악명높은 영문학 박사과정 '10년 차' 학생인 그녀가 아마도 본인이 받는 박사과정의 모든 스트레스를 그러한 방법으로 푸는 것은 아닌지 심히 의심스러운 상황이었다. 그녀에 대한 설명은 이 정도로.

불운은 연속성을 띤다고 했던가? 똘녀의 등장으로 스트레스를 받던 남편이 대학원 축구부 경기에 나갔다가 다리가 와장창 골절되어 버린 사건이 발생하였다. 남편은 차를 쓰지도, 걷지도, 혼자 목욕하기도 힘든 상황에 처해 버렸고, 틈나는 대로 똘녀의 방문을 기습적으로 받아야만 하는 난감한 처지에 놓여 버렸다.

남편의 어이없는 교통사고와 함께 시작된 똘녀의 습격, 그리고 뒤이은 남편의 골절 난 다리 사건은 '제발 미국으로 돌아와 나를 돌봐다오'라는 무언의 메시지를 일련의 사건 뒤에 함축하고 있었는데, 그것을 깨닫지 못할 만큼 촉이 둔한 것도 아닌지라, 한동안 '돌아갈까? 말까?'를 고민하는 시간이 계속되었다.

어느 화창한 오후, 친정 아빠로부터 전화가 걸려 왔다. 딸아이와 함께 그 당시 내가 근무하던 학교의 운동장에서 놀고 있노라는 연락이었다. 퇴근하고 운동장에서 만나자는 연락을 받고 조금은 급하게 사무를 정리하고 학교 건물을 나와 보니, 축구 골대 주변에서 친정 아빠와 딸아이가 노는 모습이 보였다. 반가운 마음에 달려가니 딸아이도 나를 향해 달려오는 듯하였다.

영화와 같은 한 장면이 될 수도 있었던 그 순간.

따사로운 봄 햇살에 아장아장 포실한 걸음마를 하는 아이가 엄마를 향해 뛰어오고, 그 모습을 흐뭇하게 바라보는 할아버지의 너그러운 미소와, 그 아이를 향해 달려가는 엄마의 온화한 발걸음은 적절한 배경음악이 가미된다면 영화나 광고에서 나올 만한 슬로 모션의 한 컷이 될 수도 있는 장면이었건만…

그때… 바로 그 순간…
딸아이가 내가 아닌…

'선생님 안녕히 가세요'라고 인사하는 6학년 남자아이의 다리를 움켜 안는다.

아빠! 아빠! 아빠! 라는 외침과 함께...

너그러운 할아버지의 표정도, 온화한 엄마의 발걸음도, 발이 잡힌 남학생의 표정도 매우 애매모호한, 그리고 상당히 껄쩍지근한 표정으로 변하는 그 순간 바로 그 타이밍에 결심이 선다.

'에잇! 미국으로 돌아가야겠다.'

늦은 봄날 그렇게 인생의 선택을 결정짓는 그 타이밍은 영화처럼 나에게 찾아왔고, 여름방학이 끝나가는 그 시점에 두 돌이 넘어가는 아이와 함께 나는 다시 뉴욕 JFK공항으로 향하는 비행기에 올라탔다.

〈복많아, 이제 미국 가자〉

6. 복많이의 Come back to America

미국에서 태어나 생후 6주 만에 한국행 비행기를 탔던 아이는 다시 생후 두 돌이 넘어갈 즈음 미국행 비행기를 타게 되었다. 어른들이 말하는 순둥이의 모든 특성을 지닌 우리 집 아이는 잘 울지도, 징징대지도 않는 일명 '보살'과 같은 성격을 타고났다. 태명이 '복많이'였는데 아무리 생각해 봐도 잘 지었다.

복을 많이 갖고 태어난 우리 집 '복많이'는 2년 만에 홀연히 본인이 태어난 곳으로 컴백하여 자신만의 독보적인 스타일로 희한한 에피소드들을 탄생시켜 갔다.

미국은 보육시설(daycare)이 비싼 관계로 부모가 일정 기간 아이를 돌보는 경우가 많다. 그 당시 나 또한 공짜로 진행하는 많은 프로그램을 찾아다녔다. 일주일에 한 번 진행되는 도서관 프로그램들과 교회에서 운영하는 아이들을 위한 노래 교실 등을 찾아 유모차를 끌고 나갔다. 미국에 돌아와 아이를 키우던 첫 해, 나는 '복많이'를 키워주신 부모님과 친정 식구들에게 새삼 고마움을 많이 느꼈던 것 같다. 나는 '복많이'가 이제껏 징징대지 않는 착한 아이인 줄로만 알고 있었다.

"여기서 앉아서 듣자, 제발 앉아라."

말이 끝나자마자 거리낌 없이 일어선다. 그리고 저 구석 책꽂이 모퉁이에 앉는다. 책꽂이에 꽂혀 있는 책들을 하나하나 꺼내어 자기가 누울 만한 이불 사이즈로 책을 가지런히 놓고 눕는다. 뒹굴뒹굴, 딸기 표지가 보이는 책은 어김없이 핥아 가며,

"책 핥는거 아니야, 에지 에지 그만해."라고 눈을 흘겨보지만 우리 '복많이' 꿋꿋하다. 벌떡 일어나 사방팔방 모든 곳을 돌아다닌다.

그 옆에 비슷한 한국 아이 발견. 이름이 세찬이다. 이 아이도 '복많이'와 비슷한 종자. 막 돌아다닌다.

어느 날은 남편에게 이야기하였다.

"안 되겠어. 공짜 프로그램이라 막 돌아다니나 봐. 돈 좀 써서 좋은 데 보내 보자."

"그러자." 남편과의 합의 후에 우리가 선택한 곳은 한 학기에 200달러 하던 음악 교실.

신나는 아기 동요와 함께 선생님의 제스처가 발랄하다.

"Everybody! follow me." 선생님이 기타를 치며 발을 구른다. 모든 아가들이 발을 구르는데 우리 '복많이'가 손뼉을 친다. 점프하라고 하면 혼자 앉고, 손뼉을 치라고 하면 발을 구르는 우리 '복많이'의 헛짓에 기타를 치던 귀여운 금발 머리 선생님이 다시 한번 소리친다.

"Everybody. look at LUCY〈복많이의 영어 이름〉, and jump like LUCY." 아이들이 복많이를 따라 점프를 하자, 복많이는 점프를 멈추고 이제는 혼자 빙글빙글 돌기 시작한다.

"돈 들여도 소용없잖아." 남편의 불평이 나오고,

'애가 왜 이러지?'라는 궁금증에 한국에서 아이를 돌봐줬던 친정아버지에게 전화를 걸었다.

"아빠! 애가 말을 안 들어. 계속 뭘 하라고 하면 거꾸로 해."

"원래 걔는 거꾸로 하는 애야. 기어다니기 시작할 때도 뒤로 밀면서 기었어."

아이와 함께 돌아온 미국에서의 1년은 새롭게 시작된 부모로서의 적응과 그동안 몰랐던 아이에 대해 알아가는 시간이 되어 주었다. 아이 없이 솔로 생활을 만끽하던 남편과 직장 생활의 즐거움에 빠져있던 내가 가장 많이 싸운 세월이기도 했지만, 그때 미국으로 돌아가지 않았더라면 우리는 참 어리석은 부모가 되었을 것이다.

미국에 온 지 1년이 거의 지날 무렵이었다. 복많이가 Monkey bar에서 떨어졌다. 좀 울다 말겠지 했는데 계속 울었다. 뭔가 이상했다. 남편이 아이의 팔을 살짝 틀어 보니 더 큰 소리로 울기 시작했다.

"뭔가 이상하다! 응급실로 가자."

서둘러 짐을 챙기기 시작했다. 복많이에게

"우리 병원 가야 돼."라고 이야기하니, 복많이가 핑크색 별이 박힌 하얀색 수영복을 들고 나왔다. 입고 간다고 난리다.

"왜? 도대체 왜? 병원인데 왜 수영복?" 너무 우겨대서 만지기만 해도 아픈 팔을 조심해 가며 수영복 입히기에 성공했다. 수영복을 입고 응급실에 도착해서 의사 선생님을 만나니 팔이 골절되고 뼈가 부러져 있다고 하였다. 놀라고 속상하고 걱정이 가득이었는데 복많이가 마취를 위해 수술대 위에 누우니 의사 선생님이 웃는다.

"Wow, one of the most beautiful customs in this surgery room."

초보 부모의 긴장감을 눈치챈 의사 선생님의 농담에 남편도 웃고, 나도 웃었다. 그리고 곧 우리 복많이의 마취가 시작되었고 아이는 스르르 잠이 들었다. 수술은 성공이었고, 복많이는 깁스와 수영복을 입은 채 무사히 집으로 돌아왔다. 이렇게 미국에서 1년 남짓 짧은 시절을 보낸 복많이는 세 살이 되어갈 무렵 핑크색 깁스와 함께 영국으로 가게 되었다.

남편의 박사 후 포닥 과정 때문이었다.

깁스한 복많이 〈영국〉

7. 우리들만의 아메리칸 드림

영국으로 간다. 새로운 나라를 향해 가며 지난 세월 동안 우리가 미국에서 경험한 일들을 떠 올린다.

2년여 간의 한국 생활을 접고 아이와 다시 미국으로 돌아가던 그 시절이 먼저 떠오른다. 2005년 스테이트 칼리지(State College)로 향하던 꿈 많고 설레던 신혼부부의 모습과는 달리 아이의 탄생과 함께 시작된 엄마라는 정체성의 변화가 차분하게 느껴진다.

남편이 박사 도중 학교를 옮기고 다시 대학원을 진학할 때쯤, 우리보다 1년 늦게 유학 생활을 시작했던 절친했던 부부가 생각난다. 부인이 임신하고 유학 생활을 시작한 신혼부부였는데, 이제 곧 태어날, 돌봐야 할 가족이 있다는 사실이 당시 그 부부와 우리 부부의 가장 다른 점이었다. 남편이 학교를 옮겨 새로운 학교에 지원하고 다시 시작하려던 그해, 우리보다 늦게 공부를 시작했던 아빠가 된 이웃집 유학생은 박사과정을 마치고 포닥(박사 후 과정)에 지원하고 있었다.

우리도 만약 더 일찍 부모가 되었다면, 아마 남편이 학교를 옮기고 박사를 새로 받는 선택은 하지 못했을 것 같다. 선택의 가장 우선순위가 부모를 온전히 의지해 태어난 소중한 아이에게로 향했을 것이고, 우리가 가는 인생의 항로 역시 방향이 수정되었을 것이다.

어떤 이는 꿈을 꾸고 도전한다. 그리고 또 어떤 이는 자신이 처한 현실의 물결에 가족들을 돌보며, 생계의 책임을 짊어지고 살아가기도 한다.

사십 대 중반을 훌쩍 지나 보니 도전하는 패기도 아름답지만,

그렇게 묵묵히 삶을 버텨내는 사람들의 삶이 더욱 깊이 있게 다가온다.

지나 보니 미국에서 우리가 얻은 것들은 애초에 우리가 기대했던 것과는 조금은 다른 성질의 것들이었다. 학위를 바탕으로 대기업에 취업하거나 명문 대학의 선생으로 직업을 얻어 조금 더 나은 보수를 받고, 조금 더 인정을 받으려던 욕구는 시간이 흐를수록 서서히 퇴색되어 갔다.

내 나라가 아닌 곳에서 즐겁고 유쾌했던 일들도 많았지만 어렵고 힘들었던 일들도 많았다. 학교를 옮겨가며 받은 남편의 8년 이상의 박사과정, 그리고 박사 후 포닥으로 영국에서 지냈던 시간까지 합해 본다면 남편이 온전한 직장을 갖기 위해 노력한 시간이 너무 길다는 생각이 든다. 남들보다 조금 더 나은 조건이 충족되는 직장을 갖기 위해 13년 이상의 시간과 삶을 소비한다는 것은 쉽게 수긍이 가지 않는다. 애초에 우리가 가졌던 기대와 보상의 방향성이 틀렸다는 것을 인정할 수밖에는.

원하던 대로 인생이 흘러가지 않을 때,
타인과 갈등이 생기고 예상 못한 문제들이 발생할 때,
선택의 기로에 서 있을 때,
생각과 사고, 언어와 문화가 다른 사람들과 마음을 나눌 때,
팍팍한 일상을 살아내기 위해 생활에 집중할 때,
떨어져 지내도 서로를 잊지 않을 때,
서투를지라도 부모라는 책임을 가벼이 하지 않을 때,

미국이라는 거대한 대륙이 8년이라는 시간을 통해 남편이나 나에게 가르쳐 준 것은 단순히 조금 더 나은 직장을 갖기 위한 스펙

이 아니었다. 안개 같은 흐릿한 기억 안에서 우리의 모습을 들여다본다.

American Dream을 꿈꾸었던 조급하고 철없던 부부에게 미국에서의 시간은 끈기와 집중, 타협과 이해, 생활과 책임이라는 성숙한 감정의 알곡들이 남들처럼 조금씩 여물어 가는 시간이었던 것 같다.

기회의 땅이라 불리는 미 대륙에서 우리는 우리들만의 아메리칸 드림을 성취한 듯싶다.

2부

영국, '웬열'의 나라

1. 웬열의 순간들: 영국 캠브리지에서

남편이 포닥 과정으로 옮긴 영국의 캠브리지는, 유럽이라는 곳을 처음 겪어서 그렇기도 했지만, 돌이켜 보면 또 다른 세상으로의 항해였던 것 같다. 미국과 같은 언어를 쓰고 같은 조상에서 출발한 나라여서 뭐 별다를 것 없겠거니라고 생각했는데, 기대치 않았던 독특한 경험들이 새록새록 생겨났다.

〈캠브리지 시내 모습〉

<캠브리지 시내 모습>

아이의 어린이집 첫날 아침이었다. 아이들과 학부모 몇몇이 울타리에 기대어 문이 열리기를 기다리고 있는 모습이 보였다. '인사나 나누어야겠다'고 생각했다. 지을 수 있는 최선의 미소로 즐겁게 손을 흔들며 "Hello~ How are you?"라고 인사를 하였다. 몇몇 학부모가 흘끗 쳐다보더니 다시 핸드폰을 본다. 어떤 학부모는 못 들은 척하고, 또 다른 학부모는 마지못해 'Hi~'라고 들릴 듯 말 듯 대꾸해 주고는 다시 안 본 척 고개를 돌린다. '뭐지?'라는 야릇한 느낌이 고개를 들었다.

영국식 인사와 미국식 인사, 그들의 대화법은 영어라는 공통 언어 사이에서 확실히 대비되는 구분과 특징들을 지니고 있는데, 그것을 전혀 인지하지 못했던 나의 실수였다. 영국 사람들은 미국인들처럼 처음 보는 이들과 거리낌 없이 인사를 나누기보다는 조금 더 친해진 상태에서 'Hiya!'라는 인사를 가볍게 한다는 사실을 알게 되었다. 'Hello, how are you?, fine, thank you and you?'만을 배웠던 영어에 'Hiya!'라는 새로운 인사법이 있을 줄이야.

첫인사의 당혹스러움처럼 배워야 할 문화적 차이가 참 많은 나라, 영국! 영국과 미국은 조상만 같았지, 조금만 깊이 들어가 보면 머리부터 발끝까지 다른 나라였다.

영국에서는 만 4세가 되면 학교 정규 교육과정의 첫 단계인 〈Reception: 초등학교 0학년〉을 밟게 되는데 이때부터 아이는 정식 교복을 입게 된다. 우리가 살던 학교 기숙사는 당시 캠브리지의 Perse, Leys, St. Mary, King's college school 등 유수의 사립학교들이 들어서 있던 지역이었고, 어린 초등학생부터 고등학생까지 각자 학교의 마크가 새겨져 있던 재킷(blazer)을 입고 다니는 것을 볼 수 있었다. 학교마다 특색 있는 교복들의 스타일과 색깔들이 나름 재미있기도 하였다.

당연히 우리 딸도 그런 재킷을 입을 줄 알았다. 그런데 교복을 구입하라는 안내를 받고 학교 홈페이지를 아무리 보아도 재킷이 보이지 않았다. 재킷 대신 카디건, 점퍼가 있었는데 추후 지인들을 통해 알아보니 영국은 원래 공립학교에서는 재킷을 입지 않는다고 하였다. 중학교 중에 간혹 재킷을 입는 공립학교가 있다고는 하여도 흔하지 않은 일이라는 말을 듣게 되었다.

재킷의 비싼 가격으로 공립학교에 다니는 서민 계층의 경제적 부담을 가중시키지 않으려는 〈선한 의도와 배려〉인지, 아니면 오랫동안 견고한 신분사회를 유지해 온 영국이라는 나라가 지닌 당연한 〈구분의 메커니즘〉이 아이들의 교복에도 적용된 것인지(후자가 더 의심스럽긴 함) 판단이 정확히 서지는 않지만, 이질적인 모습으로 다가왔었던 것은 사실이었다.

재킷을 선택조차 할 수 없는 외국인 서민의 계급으로 딸아이에게 카디건을 입히고 학교에 보내며 '웬열? 뭐지?'라는 질문을 속으로 해 본 적이 있다. '재킷과 카디건으로 구분되는' 교복의 공립과 사립의 구분은 아직도 이해하기 힘든 고난도의 미해결 문제로 남아 있다.

교복 얘기를 회상하니, 가끔 남편이 '대박'이라던 캠브리지 대학생들의 기숙사 배정 방법도 문득 떠오른다. 캠브리지 대학에는 31개의 college가 존재하는데, 캠브리지의 학부 대학생들은 각각의 college에 소속이 되어 있다. 그리고 기숙사 방을 선택할 수 있는 선택권이 성적순으로 부여된다. 성적이 좋은 학생은 캠강이 내다보이는 전망 좋은 방을 얻을 수 있고, 공부를 못하는 학생은 복도 끝에 박힌 방을 배정받게 된다는 이야기! 행복은 성적순이 아니지만 캠브리지의 전망 좋은 기숙사 방은 성적순이다.

〈 Cambridge Clare College 〉

'웬열'의 상황들은 인구 10만이 조금 넘어가는 캠브리지에서 하루하루 계속되었다.

영국의 모든 초등학교로 일반화할 수는 없지만, 내가 아는 지인들과 함께 겪은 일 중에는 충분하고 친절하지 못한 학교에 대한 불만이 많이 거론되곤 하였다. 새로 정착하는 이민자 가족 입장에서는 아이의 교육활동과 관련된 준비물이나 학사 일정, 학교 행사들과 관련된 안내의 미비로 벌어지는 해프닝들이 종종 이야기되곤 하였다.

스스로 알아서 챙겨 주어야 했던 두 가지 종류의 운동화(실내 운동화와 실외 운동화)를 챙겨주지 못해 실내 운동화 하나만을 갖고 생활했던 아이가 비 오는 날 바깥에서 실내 운동화로 뛰다가 진흙이 잔뜩 묻어 일 년 동안 아예 실내 운동화 없이 생활했던 일, 파자마 데이 때 허름한 한국식 내의를 입힌 일이라던가 학교 급식에 아이가 먹기 힘든 음식들이 나올 경우에는 집에서 도시락을 준비해도 된다는 사실도 나중에야 알게 된 사실이었다.

엄마가 둔하면 고생은 아이 몫이다. 손등이 자주 텄던 아이에게 바셀린을 챙겨 준 적이 있었는데, 아이를 데리러 가보니 아이가 바셀린을 얼굴에 진흙팩처럼 바른 채 앉아 있었다. 넘쳐나는 바셀린 크림 위로 머리카락마저 덕지덕지 붙은게 영 보기가 안 좋았다. 황당해하는 나에게 어린이집 담임 선생님이 즐거운 표정으로 말을 걸었다.

"Isn't it great? she did it by herself." 선생님은 바셀린의 양을 조절 못 한 아이의 서투름보다는 스스로 무언가를 했다는 Independence를 칭찬했는데, 솔직히 유쾌하지 않은 '웬열'을 속으로 되뇌었다. 적당히 바르도록 조절해 주어야 하는 것 아닌가? 바셀린을 반 통이나 소비해 끈적끈적 오일로 뒤범벅이 된 아이 얼굴을 씻어 내느라 꽤 힘들었다. 만 3세를 갓 넘은 아이에게도 알려주지 않는데, 다 큰 성인에게 친절함을 기대하지 말라는 조언을 남편이 우스갯소리처럼 하곤 했다. Be independent!

'웬열'의 순간들은 우연히 만난 이웃집 영국 할머니와의 대화에서도 생겨났다.

우리가 거주하는 학교 기숙사 뒤편의 공동 정원에서 나이가 매우 지긋하고 우아한 노부인을 만나 대화를 나눈 적이 있었다. 그녀는 나에게 어느 나라에서 왔는지 그리고 어디서 영어를 배웠는지에 대한 물음을 던졌고, 나는 한국에서 왔으며, 영어는 늦은 나이에 미국에서 배워서 연음이 많은 미국식 악센트를 쓰게 되었다고 이야기하였다. 그리고 나의 악센트가 부인에게 혹시 어색하게 들리는지 정중히 물었는데, 그녀의 대답에 한참 말을 잊지 못하였다.

"나는 네가 말하는 'American English'를 인정하고 싶지는 않아. English의 말 자체가 England에서 나오는 게 아니겠니? American English, Korean English, 전부 사람들이 만들어 낸 말이지. English는 England에서 나오는 거야. 그래서 세상에는 오로지 하나의 English만 존재하는 거고 미국 영어, 한국 영어, 이런 식으로 말을 만들어낸 것 자체가 코미디란다. 음... 그리고 사실 너의 영어는 American English라고 할 수도 없어. 보아하니 매우 전형적인 Traditional Asian Accent로 가득 차 있구나!"

무안함으로 말을 잇지 못하는 순간, 우아한 영국 노부인의 입가에 모나리자를 닮은 미묘한 승리의 미소가 살포시 내려앉았다.

지금도 BBC 방송을 듣거나 영국식 영어를 들을 때마다 가끔 그녀가 영어에 대해 갖는 '자만과 우월의식'이 떠오를 때가 있다.

도통 이해가 불가한 영어에 대한 그녀의 자부심 앞에 무슨 말을 해야 할지 말이 막힌다. 그녀는 그렇게 늙어 갈 것 같다.

그녀의 프라이드와는 달리 나에게 영국식 영어는 그렇게 아름답게 들리지도 않고, 무언가 경외할 만한 힘을 지닌 것도 아닌, 그냥 '참 별스럽게 어렵게 한다' 정도이다. 발음도 어렵고 단어도 익숙하지 않은 것들이 많다. 영국 드라마 셜록 홈스를 보며 주인공의 매력적인 악센트를 사랑하는 영국 소녀들이 많다는 이야기는 들었는데, 내식대로 막가파 영어를 쓰는 어느 한 아시아 아줌마에겐 도통 먼 나라 이야기일 따름이다.

영국의 신분사회를 이해하고, 그 문화에 익숙해진다는 것은 먼 나라에서 온 아시아 가족에게는 처음부터 불가능한 일이었는지도 모른다. 그래서 이민자들은 이방인의 삶을 산다고 하는구나. 태생과 신분이 다르고 언어와 문화, 모습이 다른 우리들은 매번 그 이질감을 이고 하루를 살아내는 것 같다.

영국인들처럼 Afrernoon tea를 마시고, 아이들을 영국 학교에 보내고, 그들이 만들어 놓은 법과 질서, 관습들을 따르며 살아가지만 '웬열'의 순간들에 흔들릴 때가 있다. 혼란의 시간을 맞이하게 되는 것이다.

〈 영국 런던아이에서의 전경 〉

2. 캠브리지 교육 이야기

 반듯하고 단정한 교복에 칼라 있는 와이셔츠와 블라우스가 돋보이는 영국 캠브리지의 아이들은 만 네 살, 다섯 살의 어린 나이에도 영어 필기체를 쓰고, 연음 없는 영국식 영어를 멋있고 시크하게 구사한다. 한때 나도 천진함과 사랑스러움을 넘어선 영국 아이들의 '무언가는 다른 그 무언가'에 감탄할 때가 있었다. 유수의 노벨상을 수상한 학자들을 배출하고, 아름다운 캠 강의 물줄기가 흐르는 킹스 칼리지의 산책길을 걸어보고 캠브리지 주변을 여유 있게 산책할 때만 해도 미국과는 다른 그 경치에 한참을 감탄하곤 했었다. 아이가 학교에 가기 전까지의 상황이다.
 남편이 포닥으로 캠브리지에 간다고 하였을 때 내심 좋았던 것도 사실이었다. 엄마로서 '아이의 첫 교육을 영국 캠브리지에서 시작할 수 있다'는 꽤 야릇한 쾌감 같은게 있었는데, 그 감정들을 돌이켜보니 마음 한편에 엄마라는 이름보다는 세속적인 부모의 숨겨진 로망이 존재했었던 것 같다. 아이의 기질과 성향을 생각지 아니하고 〈캠브리지〉라는 브랜드와 그 명성에 들떠 있었던 나날들을 지금 와 생각하니 '피식' 웃음이 나온다.
 복많이는 영국식 교육을 거부한 자유로운 영혼의 아이였다.
 "내가 어디 가서도 자존심 하나는 죽지 않는 남자였는데, 복많이 학교에만 가면 진짜."
 남편이 아이를 데려다주고 또 씩씩거리며 온다.
 "왜? 무슨 일인데 또?"
 "Miss. Wood가 복많이 카펫에 안 앉는다고 앞으로는 의자에 따로 앉힌대, 그리고 무슨 그룹을 별도로 만들어서 교육한다고."
 그랬다. 우리 복많이는 학교에서 가르치는 모든 규칙에 일단은

반기를 들어보는 '거꾸로 하는 아이'의 기질을 가진 아이였다.

"엄마, 그렇게 안 하면 어떻게 돼?"부터 생각하는 아이에게 영국 학교에서 가르치는 기본생활 습관과 예절이 자연스럽게 받아들여질 리가 없었다.

식사할 때 팔꿈치를 테이블 위에 두지 않고 허리를 꼿꼿이 세우는 것, 줄을 설 때 벽에 기대지 않고 반듯이 서는 것, 가방을 흔들며 다니지 않는 것, 많은 에티켓들이 복많이에게는 쉽지 않은 난관들로 자리했던 시절이었고, 복많이가 마음먹고 '그렇게 안 하면 어떻게 되는지 보자!'의 실험정신을 발휘하는 날에는 어김없이 Miss. Wood로부터

"I have something to say about Lucy(복많이의 영어 이름)."로 시작되는 대화를 이어 나가야만 했다.

아이가 영국 캠브리지의 교육 시절 중 (어린이집 ~초등학교 2학년) 가장 좋아한 시간은 학교 뒤뜰에서 키우던 닭들을 구경하고 풀숲이 우거진 철봉이나 나무 위에 올라가 유유히 사색하는 시간이었다. 종종 교실 테이블 밑에서 나오지 않고 교실 벽만 보고 있는 날도 있었는데 그런 날에는 특수학급에 가서 조지라는 친구와 편한 시간을 보내곤 했다.

어느 날은 복많이가 학교의 비상벨을 전부 눌러 버렸다. 학교 비상벨의 소음에 맞추어 학교의 모든 선생님과 아이들이 운동장으로 뛰쳐나온 일대 사건이 있어났고 그 범인이 우리 복많이라는 사실이 밝혀졌다. 학교에 불려 갔다. 엄마는 고개를 푹 숙인 채, 아빠는 한껏 자존심이 죽은 채.

교사 시절, 학급의 규칙을 무엇보다 강조했던 내가 딸아이의 교감 선생님과 이런 만남을 하게 되다니, 인생은 정말 아이러니로 가득 차 있는, 맞추기 힘든 퍼즐 조각이라는 생각을 해 보며 상

담실 문을 열었다.

나이 든, 조금은 딱딱해 보이는 교감 선생님과 귀여운 표정의 학교 상담 선생님이 우리를 기다리고 있었다. 그리고 곧 교감 선생님께서 학교 비상벨뿐만이 아닌, 이제껏 복많이의 수 많았던 〈Misbehaviors〉에 대한 브리핑이 이어져 나갔다.

남편과 나는 기어들어 가는 목소리로

"We are very sorry, we will keep teach her appropriate manners as much as we can."

부모가 갖출 수 있는 최대한의 사과와 고개 숙인 태도가 교감 선생님의 마음을 어느 정도 녹였는지, 나이 든 그녀의 굳은 얼굴이 서서히 풀리면서 차 한잔 마시고 가라는 제안을 하였다. 그리고 본인이 손수 차를 타고 오겠다며 상담실 문을 나섰다.

교감 선생님이 상담실 문을 나서자 이제껏 교감 선생님 옆에서 아무 말 없이 무언가를 기록하던 귀여운 표정의 상담 선생님이 작은 목소리로 우리에게 소곤대었다.

"Frankly with you……I really love her, she is very creative. Probably, this is just not right education for her."

그녀 말처럼 영국식 교육은 우리 복많이에게는 내내 잘 맞지 않았던 것 같다.

영국은 1년에 한 번 학부모 상담(Parents Evening)이 이루어지는데 학교생활의 정보를 공식적으로 얻을 수 있고 자녀의 교과 성적 성취 정도를 선생님에게서 직접 들을 수 있는 기회를 제공받는다. 선생님들은 아이가 이제껏 해 온 학습의 결과물들을 한편에 쌓아 두고 학부모들에게 보여 주고, 잘한 것은 칭찬하고 모자란 부분에 대한 설명을 듣기도 하는데 우리 부부에게는 이날이 여간 난처한 것이 아니었다.

우리가 5년여간 영국에서 보내며 네 번의 학교 상담을 경험했는데, 아이의 학업성취 정도에 따라 그 역사가 달라진다.

Nursery(어린이집 첫해)에서의 첫 학부모 상담은 가장 곤욕스러웠다. "She is unusual"

학교 상담에서 아이의 담임 선생님인 Miss Wood로부터 들은 첫 문장이다. '아이는 학교생활 부적응자로 문제 행동을 심히 일으키고 있다'는 내용을 직접적으로 표현하지는 못하고 최대한 우회적인 표현으로 돌려 이야기하는 데, 상담이 끝나고 집으로 돌아올 때까지 남편과 말 없는 한숨을 번갈아 가며 쉬었던 저녁이었다.

Nursery(어린이집:만3세) 첫해 동안 복많이는 따로 그룹수업을 받는 날이 많았다.

다음 해(0학년,Reception:만 4세) 학부모 상담에서도 복많이의 선생님은 난처한 표정을 지었다.

"She has unique characteristics for…"

그래도 unusual보다는 unique가 훨씬 낫지 않냐며 남편과 합심하고 대화를 하였다. 정말 그랬다. 작년보다는 나은 거 같았다. 아이의 학습 결과물에도 뭔가 형태가 보이는 것들이 눈에 띄기도 하고 영어를 적어보려 애쓴 흔적도 엿보였다.

상담이 끝나고 교실 문을 나가니 다음 차례인 Claudia 엄마가 환히 웃으며 교실 문을 들어선다. 벌써 알파벳의 필기체를 능숙히 쓸 줄 안다고 하였다. 남편의 부러워하는 시선에 "그래도 작년보다는 낫잖아!" 한국말로 크게 얘기하고 학교 문을 나섰다.

세 번째 학부모 상담은 복많이가 1학년이 되었을 때였다.

"She is working forward to…"영국 교육 3년 차, 아이가 그래도 뭘 하긴 하는 듯했다. 선생님이 보여 주신 아이의 학습 결과물들에 단어 형태의 글씨 형체들이 보이기 시작한다. 선생님께 용기를 내어 '그래도 아이가 가장 잘하고 우리가 걱정하지 않아도 되는 부분이 뭐가 있을까?'라고 물으니 선생님께서 좀 머뭇거리다

"Oh, Lucy has been eating very well in cafeteria, she is adjusting food here and don't worry about it."

'아, 우리 딸이 학교에서 잘 먹는구나' 웃으며 교실 문을 나섰다.

"그래도 복많이가 잘 적응하나 봐, 음식도 잘 먹고."

"그 유전자는 나를 닮은 거지 음 하하." 애써 아이의 긍정적인 장점들을 찾아 보며 복많이를 데리러 갔다. 학부모들이 상담하는 동안 학교의 큰 강당에서 아이들을 모아놓고 영화를 상영해 주는데, 멀리서 우리를 바라본 복많이가 웃으며 나온다. 볼 살이 확실히 다른 애들보다 뽕뽕한 것이 귀엽다. 잘 먹어서 착하다. 우리 딸!!

〈잘 먹고 잘 뛰는 복많이〉

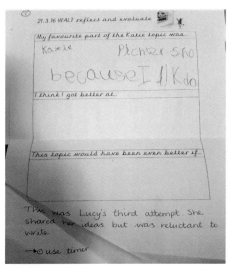

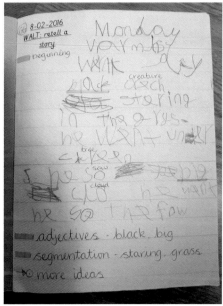

〈형체가 보이기 시작하는 글들〉

우리가 영국을 떠나오기 마지막 해의 학부모 상담은 복많이가 2학년 때(만 6세)였는데, 별 기대 없이 교실 문을 들어선 우리에겐 surprise party와 같은 순간이었다.

"She is doing in the level of …very well" 아이를 맡은 담임 선생님께서 아이의 학업성취에 대하여 자세히 설명해 주기 시작하였다. 뭔가 정상적이다.〈Unusual, Unique, Working forward to…〉가 아닌 〈Doing and very well〉이라는 영어 단어에 아무 말 없이 듣던 남편이 이야기하였다.

"We are Lucy's parents." 선생님이 혹시나 다른 아이의 학습 결과물을 보며 착각하는 것은 아닌지 확인하며 얘기하는 남편에게 담임 선생님이 웃었다.

"Yes, I know…she is doing very well and please, trust me…"

선생님의 이야기에 고단한 유학 생활 찌든 남편의 얼굴 주름이 펴진다. "Ha Ha Ha.. Really?" 그 미소가 그동안 쪼그라들었던 남편의 자존심에 다시 생기를 불어넣어 주는듯했다.

우리가 영국에서 사는 동안 딱 네 번의 학교 상담을 경험했는데 '아이의 교육의 역사가 나름대로 상승 그래프를 그려 주어 다행이다'라는 마음도 들지만, 아이의 자유로웠던 영혼과 톡톡 튀던 창의성이 캠브리지의 영국 교육의 권위와 질서 그리고 예절 앞에서 사그라든 것은 사실이다.

영국 생활 5년 차, 아이는 영국식 영어를 능수능란하게 구사하는 어엿한 초등학교 학생이 되었다. 팔꿈치를 식탁에 대지 않고 식사를 하고, 줄을 설 때에도 반듯할 뿐만 아니라, 어린애다운 발랄함보다는 어른 다운 차분함이 아이의 몸가짐에 익숙해질 무렵, 아이는 School council(반 대표)이 되었다. 반 아이들의 만장일치

투표 결과를 끌어내며 화려한 등극을 하게 된 것이다. 남편은 다시 어디 가서도 기죽지 않는 자신감을 뽐내며 아이를 흐뭇한 표정으로 바라보고 학부모들과 유쾌한 대화를 하는 아빠가 되었다.

WALT understand what plants need to stay healthy and observe changes over time

What does our plant need to grow and stay healthy?

they will need water, soil, sunlight, and the right tempreture.

How often do you think we will need to give the plant these things?

we will need to give them everyday.

How long do you predict we can keep the plant alive?

I predict that we will need to put water them all day.

Good try, please read the question again.

Draw a picture of what the plant looks like now.

Supply teacher

〈Doing very well, Lucy〉

- 49 -

나 또한 아이가 지닌 반듯한 매너와 학업 성취에 다른 학부모들에게 조언과 훈수까지 두는 엄마로 거듭났지만, 아이가 영국 교육에 적응하기 위해 분투한 시간 속에서 적지 않은 상처를 받은 것을 부정할 수는 없다.

돌이킬 수 없는 시간이지만, 만약 선택의 기회가 다시 주어진다면 그 시절 아이를 위해 캠브리지 교육을 선택하지는 않았을 것 같다. 자연과 산책을 사랑했던 아이에게 예절과 규율보다는 아이가 지녔던 자유로운 발랄함과 천진한 아이다움을 조금이라도 더 지켜낼 수 있을 만한 방법을 고민하지 않았을까? 가장 좋은 교육은 명성도 브랜드도 아닌 '내 아이'에게 제대로 맞는 교육을 찾아내 실현해 가는 여정 그 자체라는 생각을 해 본다.

〈행복한 아이가 되었으면〉

3. 곰팡이는 싫지만 자존심은 지킨다

영국의 런던 근교에 위치한 윈저성의 위엄은 복잡한 영국의 역사와 전통을 모르더라도 건물 자체만으로 성을 관람하는 이들의 감탄과 탄성을 자아낸다. 전 세계를 호령했던 전쟁과 침략의 역사를 잠시 접어 두고 성의 아름다움만을 바라본다면 성 자체도 아름답지만, 섬세히 디자인된 조경의 푸른빛은 오래된 유화 같은 한 폭의 그림이다.

유럽의 군주들이 몰락의 길을 걸을 때도 끝까지 살아남을 수 있었던 영연방 왕국의 군주, 윈저 왕가의 공식 거주지 중의 하나인 윈저성은 한국 가족들이 영국을 방문할 때마다 안내했던 단골 관광 코스였다.

윈저성만이 아니라 리즈나 에딘버러성도 아름답기는 매한가지다. 리즈 성은 한두 시간을 족히 산책해도 남을 만한 아름다운 산책로와 함께 영국 귀족을 닮은 공작새들이 그 화려함을 뽐내며 사뿐히 걸어 다니는 모습을 어렵지 않게 만나 볼 수 있다. 바위산 위에 세워진 군사적 요새였던 스코틀랜드 에딘버러성 또한 남성적인 거친 위용을 드러낸다. 어느 성을 가더라도 색다른 감동으로 우리를 매료시키는 것이다.

〈리즈캐슬에서〉

〈윈저캐슬에서〉

그러나, 현지의 영국인들이 살고 있는 집들은 어떠할까? 근래 들어 신축 아파트도 많이 들어서는 추세이긴 하지만 1950년대 전후의 주택에서 거주하고 있는 영국인들도 상당수다. 우리가 영국에서 처음 얻은 집이 그랬다. 대학에서 관리하는 아파트를 본 첫날, 관리인 아저씨가 자랑스럽게 보여 준 곳은 거실 뒤 창문 너머로 보이는 잘 정리된 공동 정원이었다.

"너무 아름답지 않니? 우리 아파트는 정원사도 있어."

"오 정말 아름답네요, 혹시 이 창문 뒤의 조그만 터에 저희가 한국 작물을 심어도 되나요?"

아저씨의 눈이 동그래지며 입가에 미소가 사라진다.

"오, 그건 말이지. 절대, 절대 그렇게 해 선 안 되는 거야. 여기는 정원사가 있는 공동 정원이거든. 무슨 말인지 이해되니?"

"네, 안 할게요. 미안해요." 아저씨는 아직도 믿지 못하겠다는 듯이 눈을 가느다랗게 뜨며 "하면 안 돼~."라고 못을 박는다. 본격적인 집 안내가 시작되었다.

"이 집은 1940년대 지어진 집이야. 벽난로는 막아놔서 안 되고, 벽에는 절대 못을 박으면 안 돼. 그리고 방음이 잘 안되니까 밤에는 TV 틀지 말고."

아저씨의 주의 사항에 남편과 나는 째깍째깍 잘 돌아가는 시계처럼 '오케이'라고 이야기했고, 아저씨는 정원에 깻잎을 심어보려던 나에 대한 경계심을 살짝 놓는 듯했다.

그리고 맨 마지막으로 한 이야기가 곰팡이 이야기였다.

"너희 집이 1층 〈영국에서는 그라운드 플로어라고 함〉이라 밑에서 습기가 많이 올라오거든, 아침저녁 문 열어서 환기 자주 해주고 곰팡이가 생기면 그때그때 빨리 지워야 해. 엄청 강력한 곰팡이 제거제를 너희에게 소개해 줄게."

〈깻잎을 심고 싶었던 공동정원 모퉁이 화단〉

겨울이 오고 아저씨 말처럼 슬슬 창가 옆으로 곰팡이가 스멀스멀 올라오는 나날들이 많아졌다. 화장실 변기 뒤편으로도 곰팡이 포자들이 쑥쑥 자라나기 시작하였다. 이삼일에 한번 세제로 닦아내도 매번 일정 시간이 지나면 다시 곰팡이들이 올라왔다. 그리고 겨울이 깊어질수록 화장실과 창가 옆 곰팡이는 서막에 불과하다는 걸 알게 되었다.

이사 온 첫해 겨울, 곰팡이들과 나의 전쟁이 시작되었다. 곰팡이들은 강력한 세제에도 이미 내성이 생겼는지, 하루가 지날수록 그 번식력을 자랑하고 있었고, 급기야는 창가 옆 침대 매트리스와 딸아이의 옷장까지 침범하여 버렸다. 곰팡이가 어린 딸아이의 옷에까지 살살 번져가자, 도저히 안 되겠다 싶어 주변 지인들의 이야기를 들어보기로 했다.

곰팡이 이야기를 꺼내자마자 여기저기서 곰팡이와 관련된 각자만의 에피소드들이 펼쳐지는 것이었다. 침대 프레임 없이 매트리스를 깔았다가 매트리스 밑이 곰팡이 밭이 되었다는 이야기부터 벽에 핀 곰팡이를 너무 박박 밀면 페인트까지 벗겨져서 키친타월에 세제를 붙여둔 뒤 밀어야 한다는 고급 팁들과 각종 곰팡이 제거제 브랜드들이 소개되었다. 그러나 결론적으로 1층집은 어쩔 수 없다는 이야기가 나왔고, 그 말은 정말 절망적으로 느껴졌다.

비 많고 습기 많은 축축한 영국의 날씨는 곰팡이들이 살기에는 최적의 조건을 제공해 주었고, 여러 종류의 곰팡이 세제는 우리 집 빨래 세제보다 소비되는 속도가 빨랐다. 그렇게 2년을 살았다. 아이가 기침을 할 때마다, 여기저기 곰팡이 진 옷을 버릴 때마다, 독한 세제 냄새에 숨이 막힐 때마다 '이놈의 영국 집'이라는 욕이 나왔다.

영국의 무구한 역사와 고품격 전통과는 어울리지 않는 '이놈의 영국 집'과 나와의 인연은 결국 실패로 끝나 버렸다.

　그 집을 떠날 때 참 기분이 좋았다. 그 후로 2년을 더 살고, 영국을 떠나 스웨덴에서 집을 구할 때도 '1층집은 절대 안 돼'가 나의 전제 조건이었으니 그 오래된 주택이 내 뇌리에 살짝 정신적인 외상을 입혀 놓은 게 아닌지 의심이 된다.

　2019년 12월 중순 즘, 영국의 지인으로부터 보리스 존슨(Boris Johnson)이 선거에 승리했다는 소식과 함께 2020년 1월 말 영국의 EU 탈퇴가 확정되어 보인다는 소식을 들었다. 영국인들의 투표 결과가 놀라웠다. 변화보다는 전통을 사랑하며 정원을 관리하고 오래된 가옥 속에서 Afternoon tea를 즐기는 영국인들의 보수성과 극우 세력의 정치적 만남은 브렉시트라는 엄청난 이슈를 대영제국에 몰고 왔다. 급변하는 세계 정세 속에서 영국의 미래는 불확실해 보인다. 긴 시간 끌고 온 스코틀랜드의 독립 문제, 아일랜드와 북아일랜드의 국경 문제는 대안점을 도출할 수 있을까? 나폴레옹을 무찌르고 세계를 제패하던 대영제국의 위엄은 어디로 향하게 될까?

　아름답고 위풍당당한 영국의 성들은 영국인들의 자존심이지만 정작 그 나라에서 살아가는 상당수의 영국인은 오래된 전통 가옥 속에 스며드는 습기와 추위를 근본적으로 해결하지 못하는 게 현실의 한 단편일 것이다. 이런 현실 속에서 브렉시트를 선택한 그들의 용기?를 생각해 본다.

　어찌 보면 나 또한 채소 하나 심지 못하는 공동 정원의 비 실용성에 대해 비판하면서도 '이놈의 영국 집' 거실 창 너머의 정원이 그리운 게 사실이기도 하다. 집 안에서는 곰팡이 때와 사투를 벌이지만, 꽃피는 4월의 정원 사진을 카톡으로 친구에게 전송하는 이중적인 심리. 첫 만남은 수줍고 냉랭했지만 오래 사귄 이에게 깊은 정을 준다는 영국인들의 우정을 경험한 적이 있다. 그들의 가치관을 다 이해할 수는 없지만 오래된 것을 사랑하는 영국인들의 미래가 브렉시트라는 어려운 시대적 변화와 선택 앞에서 그들 나름의 의미를 찾아가면 좋겠다.

곰팡이처럼 많이 퇴색되어 버리지는 않았으면 좋겠다.

4. 영국친구 Penny

 영국 친구 Penny는 키가 183cm였다.
 내 인생에서 가장 키 큰 친구 Penny는 심리 상담사 일을 하고 있다고 하였는데, 똑똑한 영국 캠브리지 사람들 사이에서 학사 자격증을 가진 심리 상담사에게 상담을 받으러 오는 사람들은 거의 없다고 하였다. 남편 Richard는 목수 일을 하는데, 이것도 수입이 좋진 않다고 하였다. Penny는 부모가 자신의 이름을 잘 못 지어 가난하게 된 것이라고 하였다.
 Penny는 영국 영어가 서툰 나와의 대화를 어렵게 생각하지 않았다. 말이 끝날 때까지 기다려 주고, 자신의 말을 천천히 이어가던 Penny와 캠 강을 거닐며 대화를 나누곤 했다. 그녀는 나에게 자신이 왜 자연주의자가 되었는지에 대한 철학에서부터 삶의 가치관, 본인이 읽은 책을 많이 이야기해 주었다. Penny는 한국문화와 음식에 대해서도 관심이 많았다. 특히 명상을 좋아해서 불교와 사찰음식에 대한 궁금증이 많았는데, 산책할 때면, 이 풀은 먹을 수 있고, 저 풀은 넘어졌을 때 살살 문지르면 상처에 좋고, 요 풀은 독이 있어서 장갑을 꼭 끼고 만져야 한다는 이야기를 해 주곤 하였다. 지금도 가끔 산책하다 그녀가 말했던 여러 식물을 만나면 반가워진다.

 그녀는 참 좋은 친구였다. 언어가 다른 외국인 친구를 부담 없이 대해주던 Penny.

 그런데, 그 친구에게서 그때 당시 이해하기 힘들었던 부분이 있었는데, 그것은 그녀가 하는 여러 선택에 관한 것이었다.

 Penny는 종종 여행을 가고 싶다고 이야기했고 이번에는 돈을 좀 많이 모았다고 하였다. 4월 부활절 방학에는 아들 Harry를 데리고 런던에 가서 공연을 보고 오겠다고 하였다. 나도 좋은 생각이라며 맞장구를 쳐 주었다. 자신은 '라이언 킹'을 보고 싶은데, 초등학교 1학년 Harry가 제목만으로 '찰리와 초콜릿 공장'을 선택하려 한다는 불평을 털어놓기도 하였다. Penny가 이번에는 런던에 가서 정말 공연을 보고, 가족과 함께 즐겁게 지내리라 생각했다.

 하지만 얼마 뒤, Penny는 그 돈을 Brexit을 반대하는 London strike에 참여하는데 모두 쏟아부어 버리고 말았다. Penny를 만난 4년여 간의 세월 동안 Penny는 늘 그런 식이었다. 자동차를 수리할 돈으로 채식주의자들이 모이는 자연주의 캠프비를 내고 명상하고 돌아와 사시사철 자동차 대신 자전거를 타고 다녔다. 남편 Richard의 허름한 10년 전 재킷을 아무렇게나 걸치고, Harry의 교복이 터지고 길이가 짧아져도 꽤 오랫동안 거기에 돈을 소비하지 않았다. 패스트 패션이 후대에 남겨야 할 우리의 환경을 얼마나 파괴하는지에 대한 이야기도 자주 하였다. 그녀의 말에 고개를 끄덕거리긴 했지만, '그래도 좀 사서 입어도 될 것 같은데'라는 생각을 완전히 떨쳐낼 순 없었다.

 돌아보면, Penny가 소비하는 돈의 주된 흐름은 늘 그녀가 지키고자 했던 가치관과 삶의 철학이 가장 큰 요소로 작용했었던 것 같다. 지나면 지날수록 자신의 가치관을 행동으로 실천하려 했던 그녀의 의지가 멋있게 다가온다. 유럽인들에게는 중산층을 구분하는 매우 중요한 기준 중의 하나가 일정 수준의 좋은 아파트나 차의 소유와 같은 물질적 소득이 아니라 '어려운 상황에서도 자신이 지닌 가치관을 지켜낼 용기가 있는가의 물음에 Yes라는 대답을 할 수 있어야 한다'는 이야기를 들은 적이 있다.

Penny의 삶에서 Yes라는 답을 발견한다.

멀리 타국에서 온 외국인 친구에게 Penny는 말 그대로 진정한 영국 중산층의 삶의 모습을 보여준 친구였다.

5. 인종차별을 경험하다:
우리 그냥 사랑하며 살아 보아요

영국 런던에서 겪었던 일이다. 한국에서 온 친한 친구와 밥을 먹으려고 하는데, 어떤 중년의 영국 부인이 자신들이 먼저 왔다며 식당 직원에게 이야기하였다.
흠... 우리가 먼저 도착했고, 정중하게 '우리가 먼저 도착하였다'라고 그녀에게 이야기하였다. 그런데 참 희한한 일이 벌어졌다. 그녀가 우리의 시선을 피해 레스토랑의 벽을 보며 'No'라고 말하는 것이었다. 그녀는 처음부터 끝까지 우리와는 시선을 마주치지 않으며 레스토랑 직원과 벽을 번갈아 보며 이야기를 펼쳐 나갔다. 그리고 얼마 뒤, 시선조차 동양인에게 두기 싫은 그녀에게 레스토랑 직원은 먼저 자리를 내주었다. 벽을 보며 얘기하는 그녀에게서 이제껏 경험해 보지 못한 참으로 창의적인 차별의 방법을 선물 받은 날이었다.

차별에 대한 기억은 또 다른 레스토랑에서도 이루어졌다.

가족이 런던 레스토랑에서 식사를 하기 위해 웨이터를 따라 지정받은 테이블로 다가가니 그 옆 테이블에서 식사하고 있던 우리 딸 또래의 아이를 둔 영국 가족이 본인들의 테이블을 옮겨 달라고 레스토랑 직원에게 요구하였다. 식사하던 도중에 말이다. 레스토랑 직원이 겸연쩍은 표정으로 우리를 보기 시작했고, 우리도 기분이 언짢아 중국 식당으로 갔던 경험이 있다. 우리랑 정말 옆에서 같이 식사하기 싫었던 것 같다.

영국에서 경험한 다양한 차별의 종류와 방법 중에 가장 인상적인 사건은 브렉시트 시즌에 일어났다.

2016년 6월이었다. 브렉시트를 묻는 국민투표가 이루어지고 투표자의 52퍼센트의 사람들이 EU 탈퇴의 결정을 내린 바로 그날, 우리 가족은 평소처럼 마트에서 소소히 장을 보고 걸어가던 중이었다.

바로 그때 오픈카를 탄 4명의 대머리 남자가 우리가 있는 인도 옆으로 차를 붙이며 고래고래 소리를 지르기 시작하였다.

"Go back to your country... fucking.... ugly...."

갑작스러운 외침과 그들의 외형적인 모습에 본능적인 공포를 느끼며 남편은 장을 본 비닐봉지를 잽싸게 나에게 건넨 뒤 아이의 두 귀를 막고 '뛰어!'라고 외쳤다. 사색이 되어 뛰어가는데 뒤에서 그들의 웃음소리가 들렸다. 최악의 경험이었고, 기분 나쁨을 넘어 공포감을 느꼈다. 그날은 우리 말고도 동양인들, 아랍인들, 인도 사람들이 심한 말을 많이 들었다는 이야기가 들려왔다.

인종차별은 장소를 가리지 않는다.

아이의 학교 행사가 있는 날이었다. 5, 6학년의 고학년 학생들이 어린 1, 2학년 아이들의 손톱에 매니큐어도 발라주고, 케이크도 팔고, 스티커와 페이스 페인팅 같은 아기자기한 활동들을 준비하여 기부금을 마련하는 행사였다. 동전을 챙기고 간 1학년이 된 복많이가 학교 행사가 끝나고 집에 돌아오자마자 매우 재미있는 것을 배웠다는 듯이 자신의 손가락을 양쪽 눈으로 가져가 쭉 찢어 대면서 계속 웃는 것이었다. 자초지종을 들어보니 유일한 동양 아이였던 딸아이가 6학년 반에 들어서자, 6학년 학생 중 한 명이 양 손으로 눈을 찢고 웃어 대었고, 그중 또 대여섯 명의 친구들이 딸아이를 향해 손가락으로 눈을 찢으면서 놀린 것이었는데, 아이는 뭣도 모르고 자기랑 재미있게 놀아준다고 생각하며 자신도 눈을 찢는 표정을 따라 짓자, 그 반에 있는 학생들이 박장대소를 하였고, 아이는 이것을 'So Cool' 한 장난으로 받아들인 것이었다. 물론 학교에 가서 적절한 항의도 하였지만 오랫동안 마음이 아팠다.

인종차별.

매해 설날이나 추석이 찾아오는 것처럼 잊혀질 만할 때 항상 자신의 존재를 상기시키며 예상치 않은 곳에서 위풍 당당히 찾아오곤 했던 그것!

해외살이를 통해 겪게 된 여러 가지 인종차별은 정도에 따라 신체적 위협과 공포를 느끼는 적극적인 차별부터 꽤 오래 생각해야 당했다는 것을 깨닫는 교묘하고 소극적인 인종차별에 이르기까지 그 종류와 성격이 매우 다양하다. 서로가 다름을 혐오로 인식하고, 정체불명의 폐쇄성으로 자신들을 무장해 버리고 타인에게 아품을 주는 과오가 계속되는 것이 안타깝다.

미국에서 있었던 일이 떠오른다.

영어를 전혀 못 하던 미국 생활 첫해, 교통신호를 어겨 경찰에게 잡혔던 경험이 있다.

"You can't turn right on a red light, Where do you
come from?

"YES!"

"Can you show me your drive license?"

"I HAVE MY HUSBAND."

말이 전혀 안 통하는 동양 여자를 매우 짜증 난 표정으로 바라보던 한 젊은 경찰관이 두려워지던 찰나, 옆에 있던 나이 지긋한 또 다른 경찰관이 한숨을 푹 쉬며

"Please, drive safe, and good luck to you"라는 말과 함께 손을 흔들어 주었던 모습이 생각난다. 그에게는 확실히 자신과 매우 다른 타인을 긍휼함의 시선으로 거두어 드린 여유와 관대함이 있었다.

'미움은 다툼을 일으켜도 사랑은 모든 허물을 가리느니라'는 성경의 구절처럼 많이 서툰 인간에게 서로 사랑할 수 있는 능력이 있다는 것은 우리도 언젠가는 이 문제를 해결할 수 있는 가능성도 조금은 보여준 것이리라.

〈아이가 커 갈 차별 없는 세상을 상상하며〉

4년간의 영국 생활에서 가장 의미 있었던 것은, 내가 생각하는 것이 타인에게는 정답이 아닐 수도 있다는 단순한 사실을 조금이나마 깊이 있게 체험하게 된 것이다.

차별에 분개하는 나에게 또 다른 영국 친구가 한 이야기가 떠오른다.

"차별이 왜 나빠? 차별은 구분이고 구분은 배려와 연결되는 거야! 나는 영국에 부유한 사람들이 가는 마트와 주로 싼 물건만 파는 노동자 계층을 위한 마트가 있다는 게 어쩌면 좋은 거 같기도 해! 그것도 배려의 한 종류야!"

그 계층 안에서 선을 넘나들지 않고 잘 살아가도록 하는 나라가 영국의 장점이라는 혹자의 얘기에 분개하다가 깨달은 것이 있다. 그들에겐 그것이 '진리'인 것이다. 나에겐 내가 생각하는 진리가 따로 있듯이, 때로는 이런 가치관이 서로 섞일 수도, 섞여 질 수도 없다는 사실, 정체성과 이어지는 태생적 한계는 자신의 뒷모습도 제대로 바라볼 수 없는 인간에게 그 한계점을 꽤 명확히 제시하는 것 같다. 서로의 가치관을 이해하기에는 넘어야 할 장애물이 너무나 많다.

영국에는 엄연히 계급이 존재한다. 여왕이 있고, 귀족이 있고, 부자가 있고, 서민과 노동자가 있다. 같은 영어지만 쓰는 단어도 다르고, 입는 옷도 스타일이 다르다. 그렇게 살아간다.

여왕을 사랑하고, 유구한 역사와 전통을 자랑하는 많은 영국인에게 신분과 계급은 차별이 아닌 배려가 될 수 있다는 누군가의 생각이 나는 아직도, 그리고 앞으로도 받아들여지진 않을 것 같다. 어쩔 수 없으니 '나는 나대로, 너는 너대로' 그냥 살아갈 뿐이다.

〈꼬꼬닭도 공작새도 그냥 다 새다〉

3부

스웨덴 이야기

1. 스웨덴! 뭐가 좋아요? 공짜 수돗물 벌컥벌컥

스웨덴에 온 지 얼마 되지 않아 아이가 한 손에 종이 한 장을 들고 집에서 김치를 한창 담그고 있던 나에게 물었다.

"엄마! 스웨덴에는 왜 오신 건가요?" 아이가 장난으로 인터뷰 놀이를 하는 것 같았다.

"스웨덴에 오기는 왜 왔겠니? 아빠가 영국에서 일이 없으니까 여기 직장 얻어서 온 거지."

"그럼, 스웨덴에 와서는 뭐가 제일 좋은가요?"

"좋은 거? 모르겠는데. 아, 수돗물 공짜로 벌컥벌컥 마시니까 좋은 거 같기도 하고..., 엄마 바쁘니까 저리 가서 놀아."

믹서기에 김치 양념을 드르륵 돌리며 건성으로 대답하는 나에게 아이가 "알겠어요!" 하고 자기 방으로 들어갔고, 나는 김치 양념을 열심히 배추에 버무리기 시작하였다.

며칠 뒤, 학교 담임 선생님으로부터 학급 전체 학부모님들에게 보내는 이메일이 왔다. 아이들이 이민이라는 주제로 그룹별로 인터뷰를 진행하고 동영상을 만들어 인스타그램에 올렸다는 것이다. 아이가 다니는 학교는 국제반이 있는 스웨덴의 공립학교이다. 국제반의 모든 아이는 부모님들이 단기 이민자로 온 경우가 대부분이다. 별생각 없이 아이와 함께 동영상을 클릭하였다.

한 친구가 마이크를 잡고 반 친구들에게 질문을 한다.

"어디서 왔어요?, 언제 왔어요? 어디서 살고 있나요? 등의 질문과 그에 따른 대답들이 자유롭게 오고 가고 있었다.

그리고 딸아이에게도 묻는다.

"스웨덴에는 왜 왔나요?"

아이가 대답했다.

"아빠가 영국에서 직장이 없어서요."

순간 얼굴이 화끈해진다. 또 한 번의 질문이 더해진다.

"스웨덴에 와서 가장 좋은 점이 뭔가요?"

"우리 엄마가요. 좋은 거 잘 모르겠는데 스웨덴에서는 물을 공짜로 먹을 수 있어서 좋대요."

이런! 이 동영상을 학급의 모든 엄마와 아빠들이 보고 있다고 생각하니 귀가 뜨거워졌다.

'좀 멋지게 말할 것을...'

내 학부모 인생 최대의 굴욕이다. 민망하고 부끄러운 마음을 조금이나마 씻어내려 아이와의 대화를 시작했다.

"사실 엄마는 말이야. 스웨덴의 물이 참 좋긴 좋은데 공짜여서 좋은 건 아니고(말하면서도 궁색하다), 물이 진짜 맑고, 너~~ 무 아름답잖아."

"맞아요! 수돗물도 공짜로 막 먹을 수 있고…"

아이의 마음속에는 이미 '스웨덴의 좋은 점 = 공짜 수돗물 벌컥 벌컥'이 등호 관계로 자리 잡은 것 같다.

곁에서 지켜보던 남편이 킥킥대며 웃었다. 나도 웃음이 나왔다. 우리가 웃으니 왜 웃는지도 잘 모르는 채 아이도 그렇게 그냥 다 같이 웃어 버렸다.

가족의 즐거운 웃음 안에서 '공짜 수돗물 벌컥벌컥이 뭐 어때서?'라는 배짱도 생겨난다.

어쩌면 스웨덴이 좋은 진짜 이유는, 딸의 인터뷰에 무심코 나온 말처럼 공짜 수돗물을 벌컥벌컥 마실 수 있는 깨끗한 자연과, 저녁 시간 가족이 노을을 바라보며 함께 웃을 수 있는 여유가 있기 때문일 것이다. 파스텔 오렌지빛으로 물드는 좋은 저녁, 가족의 웃음소리가 유쾌하다.

〈저녁의 여유〉

2. 북유럽의 물: 물로부터의 자유함

한국에서도, 미국에서도, 영국에서도 마시는 물에 대해 자유로워 본 적이 없었던 것 같다. 정수가 되지 않으면, 간이 필터가 달린 브리타를 사용하거나, 그것도 안 될 경우에는 물을 사다 마시곤 했었다. 마트에서 장을 볼 때마다 물의 무게감이 손가락을 타고 어깻죽지에 전해 져 오는 경험은 누구나 겪는 일이다.

지금과 같은 이유는 아니지만 오래전 여인네들이 옹이를 이고 물을 길어 다녔을 그 시절에도 물은 생존과 연결되는 그 진득한 삶의 무게를 우리네 머리 위에, 어깨 위에, 그리고 손가락 마디마디 위에 올려놓았었다.

북유럽, 스웨덴이라는 이 나라에서 나는 오랫동안 익숙해져 왔던 그 무게감에서 벗어나게 되었다. 하지만 처음부터 물로부터의 자유함과 해방감이 익숙하게 다가왔던 것은 아니었다.

스웨덴에 온 지 얼마 지나지 않아 아이들이 학교 화장실의 손 씻는 물을 마셨다고 했을 때 놀랐던 일이 떠오른다. 목마르다고 이야기하니 화장실에 가서 물을 마시고 오라던 선생님의 이야기를 딸아이에게서 듣고 꽤 당황하였다.

"화장실 물 마셨어? 진짜? 선생님이 화장실에 가서 물 마시라고 했다고? 배 안 아팠어?"라며 호들갑을 떠니,

"친구들도 다 화장실 물 마셔요!"라고 대답하는 딸의 말이 의심스러웠다.

화장실의 손 씻는 물을 마실 수 있다는 사실을 알게 된 후에도, 등교하는 아이에게 '그래도 화장실 물은 마시지 마'라는 당부를 하며 물병을 책가방에 넣어 주었었다.

스톡홀름의 한 시내에서 식사를 마치고 집까지 걸어가던 어느 날

도 그랬다. 20분 정도 터벅터벅 걷고 있자니, 짜게 먹은 식사 탓인지 갈증이 나기 시작했다. 길가의 조그만 푸드카에서 물을 사려고 하는 데, 쾌활해 보이는 주인아주머니가 말을 걸어왔다.

"물을 사려고 하는 거 보니 관광객이신가 봐요?"

"아닌데요. 저 여기 사는데요!"

"아, 그럼 오신 지 얼마 되지 않았죠?"

"네 맞아요! 어떻게 아셨어요?"

"그럴 줄 알았어요! 스웨덴 사람들은 물에 돈을 쓰지 않거든요!"

"아….!"

"물 한 컵 드릴게요! 그냥 드세요!"

싱크대 안의 조그만 수도꼭지를 틀며 물을 건네는 아주머니에게 미소로 답례하고 집으로 돌아오며 잠시 생각에 잠겼다.

깨끗하고 시원하며 청량한 물을 수도꼭지만 틀면 마실 수 있다는 사실이 새삼 대단하게 느껴졌다.

'북유럽 사람들! 참 복 받은 사람들!'이다.

〈스웨덴의 바다〉

〈스웨덴의 호수: 저녁〉

〈스웨덴의 호수: 낮〉

2년 전, 친한 가족과 노르웨이 숲의 허름한 산장을 빌리고 여행을 한 기억도 떠오른다. 주변이 블루베리 잡목으로 뒤덮인 귀곡 산장 비슷한 곳이었는데, 샤워 시설은 물론이고, 싱크대에서조차 물이 나오지 않는다는 사실을 곧 알게 되었다. 산장 주인에게 연락하니, 집 뒤편의 우물이 있는데 그곳에서 물을 퍼 쓰라는 것이었다.

남자 둘이 급히 우물물을 퍼 왔다.

　"이 물을 마신다고?"

"응, 산장 주인이 마셔도 된대."

결국, 남편이 제일 먼저 물을 마시기 시작했고, 덩달아 갈증이 났던 8명의 인원 모두가 그 물을 마시게 되었다. 물이 참 시원하고 달았다. 여섯 살 어린아이부터, 함께한 가족 모두가 실컷 물을 마셨지만, 그 물을 마시고 탈이 난 사람은 아무도 없었다.

뒷날 아침도 다 함께 우물물을 마시고 대충 요기를 한 뒤 산장을 떠났다. 차로 한참을 가니 빙하가 떠내려가며 만들어낸 노르웨이의 U자 피요르드 협곡이 보이기 시작했다. 빙하 박물관 근처에서, 빙하에서 흘러내린 작은 빙하 조각들도 맛보았다. 연 푸른 하늘빛 빙하 한 조각을 입에 물고 아작거리니, 가슴 가득 그 시원함이 전해 내려왔다. 북유럽에서 수돗물, 우물물, 빙하 조각까지 맛보고 나니 새삼스럽게 물에 대한 고마움이 새록새록 다가온다.

〈노르웨이 피요르드〉

〈노르웨이 피요르드에서〉

돌이켜 보면, 유년 시절 우리들이 마셨던 물도 그런 맛이었는데,
모래 먼지가 이는 학교 운동장에서 시원한 수돗물을 틀어내고 마

음껏 세수하며 갈증을 풀었던 그때의 그 물맛이 그리워진다.
돌아가기엔 이미 너무 늦어 버린 것일까?

집마다 정수기가 있고, 동네 편의점마다 페트병 안에 생수가 즐
비한 시대를 살아가야 하는 아이들에게 미안함을 느낀다. 물의 무
게감을 우리 아이들에게 물려주게 되어 버렸다. 스웨덴 사람들이
지켜낸 이 물로부터의 자유함을 전 세계의 어린아이들이 맛볼 수
있다면 얼마나 좋을까라는 상상도 해 본다.

오염되지 않은 천혜의 자연수를 21세기에도 자유롭게 마실 수
있는 이 북유럽 사람들이 부럽다. 자연이 더불어 살아 숨 쉬는 북
유럽, 호반의 나라 스웨덴에서 느껴보는 이 교훈이 조금은 쓰리
게 다가온다.

〈우리 아이들...〉

3. 스톡홀름에 온 아이: 스톡홀름 교육 이야기

2017년 9월 우리 부부는 일곱 살 딸아이와 함께 스톡홀름행 비행기에 탑승했다. 비행기 안에서 오래도록 딸아이를 바라보았다. 아이는 스웨덴에서 잘 적응할 수 있을까?

어린아이가 새로운 언어와 문화에 적응하는 것이 아이의 기질에 따라 많이 힘들 수도 있음을 지난 4년간 경험했다. 영국 유치원에 입학하고 난 첫해 아이는 머리에 노란 손수건을 1년 동안 쓰고 벗기를 반복했었다. 만 4세가 안 되던 아이가 본인의 머리 색깔을 숨기고 싶어 했던 순간들. 언어도 느렸고 친구도 오랜 시간 없었던 아이는 외로움에 갇힌 날이 많았고 엉뚱한 일을 벌이기도 하였다. 걱정을 밀어 내려 했지만, 밀어낸 만큼 또 채워지는 근심에 심란하였다.

아이는 스톡홀름 시내의 로컬 학교 중 인터내셔널 학생들을 위해 별도로 구성된 영어 학급에 편성이 되었다.

2주간의 학교 배정 기간이 흐르고 학교 전학 첫날이 다가왔다. 이른 아침부터 분주히 일어나 지하철을 타고 아이의 학교에 도착하였다. 재잘거리는 어린아이들의 말소리가 정겨우면서도 긴장감을 놓지 못한 채 서 있는데 곧 교실 문이 열렸다. 담임 선생님이 나오셨고, 아이들이 삼삼오오 줄을 지으며 교실로 들어가기 시작하였다.

오랫동안 꽉 쥐었던 딸아이의 손을 놓아주었고 아이는 교실로 발걸음을 옮겼다.

'즐겁게 잘 지내야 할 텐데...'

걱정 반, 기대 반으로 학교 주변만 두어 번 배회하다가 지하철역 언저리 카페로 들어섰다. 좋아하지도 않는 아메리카노를 두 잔이나 마셔가며, 핸드폰의 시간을 체크하였다.

 아이의 하교 시간이 다가왔다. 이미 한참이나 식어버린 아메리카노를 재빠르게 정리한 뒤 학교로 걸음을 재촉하였다. 멀찍이 같은 학급의 엄마들이 나라별로 자연스럽게 모여 아이들을 기다리고 있는 모습이 보였고 잠시 뒤 교실 문이 열렸다. 엄마들이 교실 문으로 조금 더 가까이 다가선다.

 아이들과 함께 딸아이가 교실 문밖으로 나왔다. 나는 재빠르게 아이의 얼굴을 살폈다.

 웃는다.

 아이가 활짝 웃으며, 종종걸음으로 지나가는 같은 반 친구들과 인사를 하는데 그 인사말이 〈See you. Bye〉가 아니라 〈안녕〉이다. 서투른 발음으로 인사하는 아이들의 〈안녕〉이라는 소리가 놀랍기도 하였고 즐겁기도 하였다.

 딸아이를 맞이하기 위해 하루 전부터 담임 선생님과 학급 아이들이 준비하고 연습했다는 〈안녕〉이라는 말 한마디가 하루 종일 동동거렸던 엄마의 초조했던 불안감을 안정시킨다. 전학생이라는 존재를 받아들이는 선생님과 학급 친구들의 작지만 큰 배려가 낯선 땅의 첫 만남을 두려워하던 엄마와 아이에게 감사라는 선물을 안겨다 주었다.

 한결 가벼워진 마음을 지니고 집으로 돌아와 아이의 책가방을 확인해 보니 여러 장의 학부모 안내문이 파일철 안에 정리되어 있었다. 담임 선생님이 나누어 준 안내문에는 물병과 간식 등의 준비 사항 외에 시간표, 출석, 알레르기 등을 체크하는 내용들이 적혀 있고 별도로 작성된 안내문 중에 인상 깊은 문장들이 보였다.

-모두를 초대하지 않을경우, 생일 카드를 학교에서 돌리지 말것
-선물을 준비할 때 분홍과 파랑으로 남녀를 구분 짓지 말 것

지금도 기억의 한 자리를 채우고 있는 이 문구들이 나에게 준 첫인상은 〈다행과 안심〉이라는 단어들로 표현될 수 있을 것 같다. 짧은 문장이지만 강한 편안함을 이 두 문장에서 느낄 수 있었던 이유가 무엇이었는지 스스로에게 물어본다. 소외된 이를 배려하고 사람을 구분 짓지 않겠다는 스웨덴 교육의 기본 철학을 느껴서였을까?

해외 생활의 많은 시간을 마이너리티로서 살아온 외국인이라는 사회적 신분에 길들여져 있던 나에게 아이의 스웨덴 학교의 첫날은 밝고 기분 좋은 것이었다.

주류에 속한다는 것이 증명되지 않는 정당성이라는 프레임을 부여하고 오묘하게 마이너리티를 억압해 왔다는 살짝은 삐딱한 기존의 내 생각에 스웨덴의 교육철학이 담긴 두 문장이 감성을 자극한다.

첫인사와 마지막 인사의〈안녕〉이라는 친숙한 단어가 낯선 땅에서 만난 아이의 첫 단어였듯이, 우리가 앞으로 만나게 될 인연과 경험들이 구분과 구별이 아닌 따뜻함과 받아들임으로 성장해 갈 수 있기를 조심스레 기대해 본다.

〈곧 꿈을 펼칠 너희들〉

4. 스웨덴의 훈육방식: 사랑한다. 노력할게.

 아프리카의 어느 한 부족에서는 한 명의 아이를 키워내기 위해 마을 하나가 필요하다고 했다. 수많은 육아서적과 교육학 이론들이 난무하지만 아이 키우기는 여전히 세상의 모든 부모에게 답이 없는 숙제로 남아있다.

 그렇다면 아이들의 행복을 우선시한다는 스웨덴의 부모들은 아이를 어떻게 키울까?

 스웨덴 부모들이 아이들에 대해서만큼은 상당히 허용적이라는 사실은 이 스웨덴에서는 당연한 사실이다.

 딸아이가 스웨덴 학교에 다니면서 받게 된 학부모 안내문에는 '아이가 태어난 나라의 법에 상관없이 스웨덴에 온 모든 아이는 스웨덴의 아동 보호법을 따르게 된다'라는 문구가 적혀 있었다. 아이가 엄마에게 맞았다고 학교에 신고하면 (그것이 꿀밤과 같은 사소한 것이었다 해도) 학교는 위원회를 열고 반드시 적정 관할에 보고해야 하는 의무가 있다는 것이다.

 문화가 다른 곳에서 온 타국의 부모들에게 내리는 일종의 경고장 같은 안내문이 인상적이었다. 한때 적절한 제재와 지시, 통제라는 방식을 통해 아이를 성공적으로 키워내 베스트셀러 작가로 화자 되었던 '타이거 마더'의 훈육과 교육방식은 스웨덴의 관점에서는 바로 아동 학대 감에 해당한다.

 세계 최초의 아동 보호법을 제정한 나라답게 가정뿐만 아니라 학교에서도 아이들의 말은 신뢰와 존중으로 일관성 있게 다루어진다.

 하루는 딸아이가 교장선생님과 면담하게 되었다.

 딸아이의 친한 친구가 '돌봄 선생님이 자신의 팔을 세게 잡아 자국이 생겼다'며 교장 선생님에게 보고하였고, 아이는 그 현장을 목격한 목격자로서 교장선생님과 대화를 나누기 위해 교장실로 불려 간 것이었다.

교장 선생님께서는 딸아이에게 '무슨 일이 있었는지 본 것을 자세히 얘기해 달라'고 요청하였고, 딸아이는 '정확히 잘 보지 못해서 모르겠다'는 대답을 하였다. 교장선생님께서는 마지막으로 딸아이에게 매우 중요한 질문을 한 가지 할 테니 잘 생각해 보고 대답해 달라고 이야기하였다.

"돌봄 선생님이 네 친구의 팔을 세게 잡아서 친구를 아프게 했단다. 그 선생님에 대한 너의 감정을 솔직히 얘기해 줄 수 있겠니?"

"그 선생님이 왜 그랬는지 몰라요. 하지만 친구가 아프다고 하니 제 마음도 아픈 거 같아요!"

교장선생님의 질문에 딸아이가 한 대답이다.

이후 그 돌봄 선생님은 다른 학년 돌봄 선생님으로 바로 대체되었고 얼마 지나지 않아 학교를 그만두었다.

아이에게 이 이야기를 우연히 듣게 되었을 때 적잖이 혼란스러웠고, 지금도 사실 잘 모르겠다. '그런 일로 선생님이 그만둔 것은 너무한 거 아닌가?'라는 생각이 우선 드는 것은 아이의 말보다는 어른의 입장에서 생각하는 나의 가치관이 작용하기 때문일 것이다.

스웨덴의 아동 체벌 금지법은 1970년대 아이가 부모에게 체벌을 받은 후 사망한 사건들이 계기가 되었다고 한다. 역사적으로는 노예에 대한 체벌이 법적으로 금지되었을 때도 자녀 체벌은 가능했으니, 스웨덴이 처음부터 아이들의 천국은 아니었다는 말이다.

아이들이 체벌에 의해 사망하는 사건들이 여론에 여러 차례 방송

되면서 정부는 아동 권리위원회를 조직하여 체벌 금지 입법안을 의회에 제출했고 스웨덴 의회는 1979년 세계 최초로 아동 체벌 금지법을 탄생시키게 된다. 그리고 이 법이 제정된 이후, 스웨덴은 가정을 비롯한 모든 곳에서 아동에 대한 체벌이 전격적으로 금지된 것이다.

하지만 요즘 스웨덴 사회에서는 이런 아이 중심의 훈육법이 너무 한쪽으로만 치우쳤다는 비판이 일기도 한다. 스웨덴 정신과 닥터가 쓴 '아이들은 어떻게 권력을 잡았나? (2016)'라는 책을 살펴보면 아이에게 모든 결정권을 주는, 지나치게 허용적인 스웨덴의 훈육방식을 비판한다.

아이들은 어른처럼 복잡한 메시지와 다양한 선택을 감당하기 힘들어하고, 오히려 일관된 규칙이나 명확한 지시, 적절한 꾸지람이 이 세상을 배우는데 더 효과적이라고 책은 이야기한다.

아이들이 명령과 규칙으로 인해 상처받는다고 믿는 스웨덴의 훈육 방식은 부모들이 자녀들의 행동을 바로잡아 주는 일 또한 주저하게 했다고 작가는 비판한다. 아이들의 의견과 감정을 존중해줌과 동시에 자녀를 키워내야 하는 주체자로서 부모의 권위도 중요하다고 강조한 것이다.

스웨덴의 아동 훈육방식을 전면적으로 비판한 이 책의 출간은 곧바로 사회적 반향을 일으키며 스웨덴 사회에서의 찬반 여론을 형성했다. 하지만 아이 중심적 교육을 비판하고 권위를 갖는 부모가 되기를 촉구하는 여론에 맞서, 가벼운 체벌도 허용하지 않는 스웨덴의 훈육방식이 학교 폭력이나 왕따와 같은 청소년 범죄를 예방할 수 있다는 여론도 팽배하였다. 국제 아동보호단체인 'Save The Children'에서도 스웨덴의 청소년 범죄가 타국에 비해 월등히 낮은 이유를 스웨덴의 철저한 아동보호 법에서 찾았다.

답이 없는 토론과 이에 대한 이견은 지금도 현재 진행 중이다. 아이를 키운다는 것이 스웨덴에 와서 더 어렵게 느껴진다. 부모로서 내 아이에게 넘치는 사랑을 주고 싶지만, 마음과 달리 아이의 감정을 존중하고, 아이가 하는 말을 신뢰하고 받아들인다는 명목 하에 예의를 무시하고, 타인의 어려움을 모르고, 자신만 아는 이기적인 아이로 키워낼까 두렵기도 하다. 아이를 바르게 키운다는 것이 말처럼 그리 쉬운 일이 아니라는 것을 또 한 번 느낀다.

'내 아이가 어떻게 자라나길 바라는가'보다는, '내 아이가 지금 행복한가'를 이야기하는 스웨덴의 훈육방식은 판단하고 재단하기를 좋아하는 꼰대 기질의 엄마에게는 큰 도전이다. 부족함을 알기에 〈노력〉이라는 단어를 떠올려 본다. '내가 맞고 네가 틀리다'라는 생각이 앞설 때마다 빨리 판단하지 말고 시간과 여유의 힘을 빌려 아이와 이야기를 나누어야겠다. 자세히 들여다보아야 아름다운 들꽃처럼 내 아이를 찬찬히 바라보는 노력을 기울여야겠다.

〈사랑한다! 노력할게!〉

5. 아리송한 북유럽 문화 시리즈1

"언니, 얀테의 법칙(Law of Jante)이라고 들어봤어요?"

"아니, 그게 뭔데?"

"북유럽 사람들이 가지고 있는 사회적 윤리 같은 건데, '너 자신을 다른 사람보다 특별하다고 생각하지 말라'는 법칙이래요. 상당히 새로운 개념이죠? 우린 아이들한테 항상 '너는 특별한 존재'라고 얘기하잖아요. 여긴 완전 반대예요. 잘하는 애 칭찬도 하지 않는대요."

"오, 진짜? 신선하다. 정말 새로워, 그래서 스웨덴 아이들이 축구 경기를 해도 승부를 가리지 않는 거야?"

매번 딸아이의 축구 경기 매치를 갈 때마다 신기했던 것 중의 하나가 경기를 해도 몇 대 몇인지 점수를 가르지 않고 골을 넣으면 '와'하고 축하만 하는 스웨덴식 어린이 축구가 익숙지 않았었는데, 얀테의 법칙 (Law of Jante) 이야기를 듣고 보니 살짝 이해가 갈 만도 하였다. 승부를 가리는 순간 승자와 패자가 결정되고 승자에게는 칭찬과 환호가, 패자에게는 아쉬움과 부러움을 안기는 결과 지향적인 문화가 스웨덴 사람들의 평등의 가치에는 어긋나서 그런 것 같다는 생각이 드는 것이다.

교사 재직 시절, 아이들에게 긍정적인 피드백을 주기 위하여 항상 칭찬은 다른 아이들이 많이 보는 자리에서 한 아이를 지목하여 큰 목소리로 아낌없이 했었는데 (박수를 쳐 주라는 얘기도 가끔 했었음), '스웨덴의 얀테 (Law of Jante)의 법칙의 관점에서 바라보면 아주 못 돼먹은 행동이 아니었을까'하는 생각도 들었다.

퇴근하고 돌아온 남편에게 얀테의 법칙(Law of Jante)에 대해 알려 주었다.

"어떻게 생각해?"라는 물음에

〈승부가 없는 어린이 축구〉

"대박… 정말 세계 경쟁력에 뒤 쳐지는 발상이다. 그래서 똑똑한 스웨덴 사람들이 전부 나라 밖으로 뛰쳐나가는 거 아니겠어? 그 빈자리를 우리 같은 인터내셔널로 채우는 거고, 그 법칙 아주 몹쓸 법칙이구만. 아니, 잘하는 거 잘한다고 얘기를 왜 못해? 이해가 안 되네 정말!"

남편은 얀테의 법칙(Law of Jante)이 상당히 마음에 안 드는 것 같았다.

"난 그렇게 나쁜 거 같지 않은데… 우리나라… 음, 아이들 생각해 봐, 항상 남보다 잘해야 인정받는 아이들한테 이 개념 뭔가 새로운 것 같은데? 남보다 잘 안 해도 된다. 너희들 모두가 평등하고 소중한 개개인일 뿐, 다른 사람보다 특별한 것이 없다는 게 왜 나빠? 우리나라처럼 경쟁적인 사회구조 속에서 뭔가 따뜻한 해결책이 될 수도 있는 거 아닌가?"

남편은 글로벌 사회에 매우 뒤처지는 발상이라며 다시 한번 열을 내었고, 나의 '좋기만 하고만'의 일관적인 대응이 그의 화를 부추기는지 일정 시간이 지나자 아예 묵묵부답으로 일관하였다. 그렇게 우리의 대화는 불일치로 끝났지만, 나는 얀테의 법칙 (Law of Jante)이 갖는 긍정적인 측면에 대해 점점 더 내 생각을 확고히 하는 중이었다.

그러던 어느 날 〈스웨덴 사회와 문화 알기〉로 진행되는 30시간의 수업을 지인의 소개로 들을 기회가 생겨났다. 고등학교와 성인들을 대상으로 수업하는 스웨덴 사회 선생님에게 얀테의 법칙 (Law of Jante)에 대하여 직접 물어볼 기회가 생긴 것이다.

"질문하나 해도 돼요?, 얀테의 법칙 (Law of Jante)에 대한 스웨덴 사람들의 생각을 알고 싶어서요…" 질문이 끝나자마자, 선생님이 제일 처음 한 말이,

"Oh, Janteslagen! that's a very very bad thing."이었다.

옆에서 같이 듣던 학생들도 'very bad thing'이라는 선생님의 단호한 이야기에 흥미가 생기는지 모두 관심 있게 귀를 기울이기 시작하였다.

얀테의 법칙(Law of Jante)은 오래전부터 북유럽 사회를 조직적으로 컨트롤하기 위한 사회 통제 시스템으로 이용되었으며, 북유럽 사람들의 개성 있고 잘난 개인에 대한 경계심과 질투심을 이용하여 모두가 평범한 소시민으로서 사회에 잘 순응하는 인간상을 길러내기 위한 것으로 부정적인 측면이 훨씬 많다고 이야기해 주었다.

'이럴 수가… 난 좋은 건 줄 알았는데…'

집으로 돌아와 구글과 유튜브를 검색하기 시작했다.

어린 시절 캐나다 부모님을 둔 덕에 영어를 독보적으로 잘했던 한 학생이 영어를 남들보다 잘한다는 이유로 친구들로부터 따돌림을 받아야 했던 경험담이 눈에 들어왔다. 영어뿐만 아니라 그녀는 폴 댄스(Pole Dance)에도 남다른 재능이 있었는데 스웨덴 학창 시절 내내 친구들에게 그녀의 재능에 대하여 이야기해 본 적도, 그녀의 댄스 실력을 보여 줘 본 적도 없다고 하였다. 그렇게 자신의 재능에 무덤덤한 세월을 보내던 중 부모님과 함께 캐나다로 이주하여 4년이란 시간을 보내게 되었고, 그곳에서 색다른 경험을 하게 된다. 폴 댄스(Pole Dance)를 한다는 사실을 자연스럽게 알게 된 친구들이 그녀에게 춤 실력을 보여 달라고 요청하였고, 그녀는 자신의 폴 댄스(Pole Dance) 실력을 태어나 처음으로 캐나다 친구들 앞에서 선보이게 되었다. 열렬한 박수와 함께 그녀의 빼어난 춤 실력 앞에서 'so cool'이라는 찬사를 아낌없이 보내준 캐나다 친구들을 통해 잃었던 자신감을 찾게 되었다는 이야기는 그녀가 느끼는 얀테의 법칙(Law of Jante)의 역기능을 설명하는 데 부족함이 없는 듯하였다.

한 미국인은 자신이 이해하는 얀테의 법칙(Law of Jante)을 그가 참석한 모임의 색다른 상황을 통해 서술하였다. 그는 자신을 초대한 친구들 사이에서 얀테의 법칙에 대해 뛰어난 입담과 재치로 만담을 펼치고 있었는데, 대중들의 호감 어린 시선이 그에게로 꽤 많은 시간 동안 집중되자, 어느 스웨덴 중년 여성으로부터 '그만 말하라'라는 부드럽지만, 단호한 요청을 받게 되었다는 것이다. 그녀에 따르면 그가 서로 이야기해야 하는 공평한 시간의 기회를 박탈하고 있다는 것이다.

'겸손'이 미덕이 아닌 나라에서 자라난 그가 처음 스웨덴의 얀테의 법칙(Law of Jante)을 접했을 때 그는 '이 개념이야말로 공동체에서 소외된 미국인들의 서러움을 달래 줄 수 있는 사회적인 덕목이 될 수 있겠구나'라는 생각을 했다고 한다. 하지만 결국 얀테의 법칙에 대한 자신의 만담을 못마땅해하며 '그만 말하라'라고 속삭이는 스웨덴 여성으로부터 '겸손과 평등'이 아닌, 얀테의 법칙(Law of Jante)에 관한 부정적인 이질감 그리고 이제껏 경험하지 못했던 어색함을 느꼈던 것이다.

그러나 이와는 반대로, 반 얀테의 법칙(Anti-Janteslagen)에 이어 스웨덴 사람들의 '부를 자랑하지 않는 겸손의 미덕'이라는 관점에서 얀테의 법칙을 설명한 기사와 에피소드들도 보였다.

인간의 욕망과 경쟁적 욕구에 '평등과 겸손'이라는 인류애적인 가치관이 북유럽을 이끌어가는 행복의 동력이 된다는 기사도 보이고, 람보르기니를 타는 스웨덴 청년들이 밤에 몰래 숨어서 사람들이 없는 곳에서 차를 몰고 다닌다는 웃픈 사연들도 눈에 띈다.

당시, 만 열 살이 되어가는 딸아이에게도 물어보았다.

"〈너 자신을 특별하게 생각하지 마라〉라는 이야기가 좋은 거 같아? 나쁜 거 같아?"

"당연히 좋은 거지요. 자기 자신만 특별하다고 생각하면 뽐내게 되고 그럼 친구들이 안 좋아하니까요."

벌써 스웨덴 물이 들어가는지 아이의 대답이 신기하다.

북유럽의 전통적인 사회적 가치를 표방하는 얀테의 법칙(Law of Jante)도 매우 상대적이며 가변적인 속성을 지닌 것 같다. '내 경험의 틀' 안에서 가치의 경중을 재단하며 결론을 도출하고 그것을 정답이라 믿어 버린다면 그것 또한 자가당착적인 편협한 사고 안에 자신을 가둬 두는 게 될 수도 있다.

얀테의 법칙(Law of Jante)이 타인보다 잘나야만 하는 경쟁적인 여러 사회에서는 평등과 겸손, 절제의 미덕에 대한 답이 될 수도 있고, 물질에서 오는 우월감이나 부끄러운 갑질 문화에 대해서는 자각적 성찰을 가능케 하는 미덕으로 작용할 수도 있을 것 같다. 반면에 절대적 가치로 무장된 '평등'은 개개인의 개성이나 재능을 무시하는 'The very bad thing'으로서 스웨덴 사회의 발전과 세계 경쟁력을 저해하는 해로운 측면으로 개인을 유린할 수도 있겠구나'라는 생각도 들었다.

결국, 얀테의 법칙(Law of Jante)에 답이 있는 것이 아니라 얀테의 법칙을 적용하는 우리에게 답이 있는 것이다. 스웨덴에서는 라곰(Lagom)이라는 또 다른 철학이 생활 속에 자리 잡고 있다. 이는 넘치지도 모자라지도 않는 적절함을 의미하는 말이다. 라곰의 철학은 동양의 철학인 중용이라는 단어와도 맥을 같이 한다. 치우침이 없는 균형 잡힘, 얀테의 법칙(Law of Jante)도 이러한 라곰(Lagom)과 중용의 철학 속에서 이해해야 하지 않을까? 부정적인 면과 긍정적인 면이 모두 존재하지만 두 가지의 상반된 면이 공존 가능한 조화로움으로 만날 때 북유럽의 전통적인 삶의 규범으로 자리 잡았던 얀테의 법칙(Law of Jante)이 개개인의 자율성을 해치지 않는 사회의 가치 실현으로 다시 거듭나게 되지 않을까?라는 생각을 해 본다.

〈달리기 1등? 얀테의 법칙에 매우 어긋남〉

6. 아리송한 북유럽 문화 시리즈 2

알 수 없는 번호가 핸드폰을 울릴 때 어떻게 할까? 어떤 이는 무시하기도, 또 어떤 이는 궁금해서 받기도 할 것이다. 나의 경우는 '오는 전화는 무조건 받고 보자'인데, 모르는 번호가 찍혀 받을 경우, 스웨덴도 반 이상은 보험이나 광고성 전화가 많다.

어느 날 남편에게도 전화가 한 통 걸려 왔다. 핸드폰 요금을 반값에 싸게 지불할 수 있다는 선심성 낚시 광고 전화였고 남편이 미끼를 덥석 물었다. 이런저런 질문이 오고 갔고 카드 정보를 알려 주는 시간이 다가오자, 남편도 뭔가 이상했는지 바쁘다는 핑계로 전화를 끊었다. 그리고 바로 인터넷 웹 브라우저에 hitta.se를 쳤다. 자신이 받은 번호를 hitta.se의 검색란에 집어넣자, 36,718명의 사람들이 이 번호를 의심하여 찾았다는 검색 결과와 함께 전화 오면 바로 끊어 버리라는 37인의 코멘트와 전화 발신인의 회사 이름이 찍혀 있었다.

사실, 스웨덴에서는 모르는 전화가 왔을 때 고민할 필요가 별로 없다. 우선 받고 있지 않다가, 통신 음이 사라지면 그 번호를 hitta.se에 쳐 보면 된다. 전화번호를 검색란에 넣기만 하면 발신인의 정확한 개인 이름이나 회사 이름이 공개되고, 그 이름이 자신이 아는 사람이면 전화를 다시 하면 되고, 모르는 회사의 광고 전화라면 무시하면 그만이다.

여기까지는 참 좋다.

일종의 인터넷 전화 번호부와 같은 웹 사이트를 공개적으로 대중이 접근 가능하고, 이용할 수 있게 구축해 놓았다는 것은 매우 편리한 면이 확실히 있다.

그런데, 스웨덴 정보 공개의 뭔가 다른 독특함은 이름과 전화번호의 공개에서 오는 것이 아니다. 우리가 흔히 개인의 사적인 정보로 인식하고 있는 〈개인 정보〉와 관련된 기록을 아주 친절하게! 매우 투명하게! 공개한다는 데 고개를 갸우뚱하게 되는 것이다.

hitta.se에는 전화번호만 찾을 수 있는 게 아니라 본인이 다니는 직장, 가족 구성원의 이름 및 나이, 생년월일, 차 종류, 자동차 번호, 소유하거나 거주하는 주택의 가격, 집 평수, 이웃 주민들의 이름과 수입 수준 등이 잘 정리되어 나타나 있다. 하물며 이 지역 사람들의 대출 정도라든가 수입이 평균보다 높은 편인지 낮은 편인지, 아파트 같은 경우는 내부 구조를 볼 수 있기도 하고 드론을 이용한 집의 외관이 아름답게 찍혀 있기도 하다.

꼬리에 꼬리를 물어 전혀 모르는 아래층 남자의 이름을 클릭해보면, 다시 그의 직장, 나이, 직책, 집 가격과 집의 평수, 생년월일, 자동차 종류, 그의 가족 구성원 등에 대해서도 바로 알아볼 수 있다. 클릭의 횟수에 따라 이웃 주민들의 실태 파악이 가능하다. '뭐 이런 거까지 다 공개할 필요가 있나'라는 생각과 함께 '이 나라 참 이상하다. 뭐야? 살짝 무섭잖아'라는 생각도 든다. 그리고 여기서 한 가지 더! 이 정보의 공개성에 대한 스웨덴 사람들의 마인드였다.

궁금해서 여기저기 뒤져보니, 몇몇 인터넷 웹 사이트에서 이와 관련된 언쟁의 흔적들을 찾을 수 있었다. 어느 독일인은 자신의 개인적인 정보가 공공의 많은 이에게 본인의 동의 없이 제공되는데 심히 마음이 불편하였던 것 같다. 'How do you feel about hitta.se?'라는 그 독일인의 질문은 나의 관점에서도 한 번은 스웨덴 사람들에게 묻고 싶은 질문이다.

https://www.reddit.com/r/sweden/comments/8i7bwb/how_do_you_feel_about_hittase/
How do you feel about hitta.se?
As a German i was farily shocked yesterday when a good friend of mine (from Sweden) told me that i could find his dad on a website called...
www.reddit.com

이 문제를 제기한 독일인이 받은 댓글들이 30여 개가 되는데, 그중 스웨덴 사람들이 우리가 생각하는 개인의 정보를 'personal information'이 아닌 'public records'로 생각하며 그다지 신경

쓰지 않는다는 내용이 눈에 들어온다. 오히려 독일인들이 너무 극단적으로 개인의 프라이버시와 정보를 지키려 애쓰는데 그게 더 이상하다는 이야기와 함께 이 시스템이 좋은 점이 더 많다는 내용에 덧붙여 정 싫으면 그 사이트에 문제를 제기하고 정보를 지울 방법도 있다는 게 주된 내용이다.

'우와!... 이건 뭐지?'

스웨덴 사람들이 오랜 시간 동안(모두 다 같은 생각을 하는 것은 아니겠지만) 이런 웹사이트들을 이용하며 지내왔다는 사실이 스웨덴 사람들이 개개인의 정보와 관련한 개인의 'privacy'에 대한 사고가 다른 나라 사람들이 갖는 그것과는 많이 다르다는 생각이 들었다. 캠브리지 영어사전(Cambridge dictionary)을 뒤져 'Privacy'의 단어 뜻을 찬찬히 살펴보았다.

Privacy: someone's right to keep their personal matters and relationships secret:

그렇다면 hitta.se의 정보 공개에
'I don't care'로 일관하는 스웨덴 사람들에게 본인의 주택 가격, 집 평수, 수입의 정도, 생년월일, 가족 구성원의 이름과 같은 자신의 정보가 'personal matters and relationships(사적인 문제와 관계)'에 포함되지 않는다는 결론이 도출되는 것 같다.

어느 독일인이 제기한 문제에 스웨덴 사람들이 남긴 댓글의 답처럼 이들에게 이것은 비밀로 유지되어야 할 이유가 없는, 그냥 〈공공의 정보와 기록〉인 것이다. 자신의 수입과 사는 집, 직업, 나이, 생년월일, 주소 등이 개인의 정보가 아니라 공공의 정보라는 이들의 생각은 기존의 경험과 사고 체제에서 아직 벗어나지 못하는 나에게 '급진적인' 사고의 변화를 요구하는 면이 없지 않다.

스웨덴 사람들은 정보 공개의 열린 마인드를 어떻게 구축하게 되었을까? 조금만 달리 생각하여도 정보의 공개성이 주는 위험성이 여러 가지일 텐데 말이다. 그 위험성을 극복하고 대부분의 스웨덴 사람들이 자신의 정보를 공개하는데 두려움이 없는 것은 가진 것에 의해 차별하지 않는 스웨덴의 사회적인 풍토가 뒷받침된 것일까? 아니면 흔히 말하는 〈big brother〉의 존재가 자본을 가치 있게 여기고 빈부의 격차가 아예 뿌리내리지 못하게 이 사회를 적절히 조절하고 통제하는 것일까?

정보에 허용적이며 공개적인 스웨덴 사람들이 살짝은 부러우면서도 〈개인정보수집에 동의합니다〉라는 클릭 질에 더 익숙한 나에게 스웨덴이 새로운 사고와 도전을 던져준다.

〈이 생각, 저 생각과 걸어가기〉

7. 쉽지 않은 이민생활

 미야자키 하야오 만화의 파란 하늘을 그대로 가져다 놓은 듯, 싱그러운 바람과 푸르른 녹음이 멋들어진 6월의 스톡홀름은 말 그대로 아름답다. 스웨덴 사람들이 이 계절에 한껏 들뜨는 이유를 알 것도 같다.

 우리 가족은 스톡홀름에서 30km 정도 떨어진 박스홀름 (Vaxholm) 주변의 조용한 해변가에 피크닉을 자주 다니곤 하였다. 사람들이 다니지 않는 고즈넉한 해변가에서 시원한 바람을 맞으며 저녁을 먹으면 행복감이 차오른다. 사발면, 김치, 유부초밥, 과일 등을 챙겨 도착한 해변가에는 인적이 전혀 없다. 짙푸른 비단 장막을 펼쳐 놓은 듯한 여유로운 바닷가, 그리고 그 물결을 벗해 우아한 백조들이 한 폭의 그림처럼 유유자적 떠다니고 있었다.

 코로나바이러스로 셀프 방콕 생활에 지친 우리 가족에게 오랜만에 찾아온 이 평화로움이 참 감사하게 느껴졌다. 그리고 곧이어 벤치에 앉아 도시락을 열고 사발면에 물을 부었다.

 '아무리 힘들어도 이런 맛이 있어서 외국 생활을 하는구나'라는 생각도 들었다. 그런데 저 멀리서 인기척 소리가 들려오기 시작하였다. 이 해변가 근처에 사는 스웨덴 현지인들인 듯, 편한 차림에 슬리퍼를 신고 기르던 강아지를 데리고 왔는데, 사발면을 먹는 우리들을 보고 놀란 듯한 표정이 얼굴에 스쳐 지나갔다.

 지극히 주관적인 느낌들이지만, 이런 외진 곳까지 외국인들이 오는 사실이 반갑지만은 않은 느낌이었다. 그들이 키우는 강아지가 우리의 사발면 냄새가 자극적인지 자꾸 우리 쪽으로 가려는 걸 여러 차례 막다가 강아지를 데리고 돌아가는 모습에 미안함마저 느껴졌다.

 관광지가 아닌 곳, 현지인들이 주로 사는 외진 곳을 방문할 때마다 느껴지는 '영원한 이민자'라는 신분이 새삼스럽게 느껴질 때가 종종 있다. 불현듯 그 아름다웠던 해변가가 불편함으로 다가오기 시작하였다. 2005년에 한국을 떠나왔으니 10년이 훌쩍 넘는 세월 동안 익숙해질 만도 한데 그렇지 않았다. 어쩔 수 없이 느껴지는 이 불편함을 평생이고 살아가는 게 이민자의 삶일 수도 있을 것 같다는 생각이 다시 한번 들었다.

얼마 전 인터넷에서 우연히 읽게 된 〈이민 생활의 적응과정〉이라는 연구 결과가 흥미롭다.

이민 생활 적응과정

· *1단계 흥분기*
  이민 첫해: 도전정신, 새로움, 흥분기

· *2단계 좌절기*
  이민 2년 후: 언어와 경제문제, 생활 장벽, 문화 충격으로
  역이민이 많은 시기

· *3단계 해결기*
  이민 3년~10년: 경제적 여유, 사회적 대가의 공정성, 만족감

· *4단계 자아의식의 혼란기*
  이민 생활 12~13 이후: 인종차별, 진급 문제, 불편함, 깊이 있
  는 인간적 관계의 부재, 소외감, 외로움

박스홀름의 외진 해변가에서 느꼈던 나의 그 주관적인 감정들은 아마도 이 연구결과에 의하면 4단계 정도에 속할 듯하다. 영원한 셋방살이를 하는 듯한 이 느낌에 빠져들면 안 되는데 가끔 찾아드는 이 어색한 소외감이 쉽게 익숙해지지 않는다.

프랑스에 주재원으로 오게 된 언니네와 함께 레스토랑에 다녀왔던 기억도 떠오른다. 오랜만에 언니 가족을 찾은 우리에게 형부가 프랑스식 저녁 식사를 경험해야 한다며 밥을 사 준 적이 있었는데, 식사 중에 조카가 한 이야기가 잊히지 않는다. 애피타이저부터 주요리, 치즈, 디저트에 이르는 four-course 식사를 하던 중에 가까이 앉은 어린 조카가 나를 물끄러미 바라보며 이야기하였다.

"이모, 배고파요!"

모두 웃음이 터졌는데, 어쩐지 그 후로도 내 마음 한편에는 조카의 '배고프다'는 말이 오래도록 남아 있게 되었다.

배고프다...

아무리 진수성찬이어도 낯선 남의 나라 음식보다는 김치찌개에 김, 계란 프라이가 우리들의 배고픔을 채우는 데는 더 적절한지도 모르겠다.

현지 취업, 주재원, 국제결혼, 유학, 사업, 난민 등으로 온 전 세계 많은 이민자들이 느끼는 공통된 감정이 아닐까 한다.

상황과 처지에 따라 달라지는 어려움들과 넘어야 할 장벽들은 언어와 문화, 교육, 경제적인 문제를 넘어 외로움, 소외감, 정체성의 혼란과 같은 다양한 난제들로 확대되며 파도처럼 밀려 들어온다. 시간이 갈수록 이민자들의 생활 반경은 교민 사회로 축소되고 그 제한된 인간관계는 관계에 대한 끈끈함으로 재탄생하기도 하지만, 때로는 좁은 인간관계와 사소한 문제들에 연연케 하는 사고의 제한성을 부를 때도 있다.

행복을 찾아 떠나서 온 곳에서 내 나라가 아니라 느끼는 외로움과 소외감, 헛헛함은 아이러니이기도 하지만, 또 동시에 세상사의 이치이기도 하다. 하나를 얻으면, 또 하나를 내어 주어야 하는. 채워지는 만족감만을 찾으려 든다면 바로 내 옆에 '불행'이라는 친구가 따라붙게 된다. 때로는 '그러려니'라고 인정하는 여유로움과 관대함이 힘든 이민 생활을 버텨내는 데 절대적으로 필요하다.

그리고 또 하나 사람!

문제도 사람에게서 오지만 그 해결도 사람에게서 온다. 나와 공감하고 위로해 줄 수 있는 사람, 내 친구, 내 가족이 헛헛한 이민 생활에 채움과 활력을 준다. 아픔과 위로를 함께 나눌 수 있어 소중한 사람들이다.

이민 생활의 끝이 어디가 되고, 또 무엇이 될지는 모르지만, 수많은 시간 동안 함께 했던 지인들, 친구들 그리고 내 가족이 참 감사하다.

8. 한식 예찬

"고기가 타기 전에 드셔야 하거든요." 잘 익어 갈색빛의 아우라를 풍기는 삼겹살 한 조각을 남편의 지도 교수님 접시에 철퍼덕 넣어 드리자, 어쩔 줄 몰라 당황하는 표정이 또 한 번 연출된다.

"괜찮아요. 괜찮아. 우린 원래 이렇게 먹어요. 한국식이에요. 한국식당에 오셨으니, 한국식으로도 한번 드셔 보셔야지요."

어색함이 묻어나는 "Okay!"를 연발하시는 지도 교수님이 안쓰러운지, 나보다 훨씬 영어에 능숙한 남편이 다시 한번 설명에 들어

갔다.

"한국 부모들은 식사할 때 자식에게 제일 맛있는 음식을 떠서 밥그릇이나 숟가락 위에 얹어 줘요. 자식에게 주는 일종의 사랑의 표현이지요. 한국식 표현으로는 '정'이라는 건데요. 하하."

맛있다며 삼겹살을 몇 점씩 한꺼번에 입에 넣으시면서도 자신의 앞접시를 허락 없이 침범하며 고기를 넣는 방식에는 호기심 반 의심 반으로 바라보는 파란 눈의 미국인 교수가 재미있다.

옆에 앉은 어린 딸아이가 때마침 밥숟가락에 고기를 올려달라는 시늉을 하며 숟가락을 내밀었다. 딸아이의 숟가락에 고기를 얹어 주니 아이가 먹음직스럽게 받아먹는다.

"교수님도 한번 해드릴까요?"라는 물음에 모두가 웃음을 터트렸다.

'I'와 'You'로 구분되는 미국인이나 유럽인들에게 자신 앞에 놓인 접시는 자신만의 사적인 공간을 의미한다. 더 먹고 싶으면 본인이 선호하는 음식들을 고르고, 먹을 만큼만 각자의 접시에 올려 먹는 '개인의 선택'이 참으로 중요하다. 이러한 서양식 식사법은 가족 간에도 예외 없이 지켜진다.

이와는 달리 '우리'라는 공동체 문화에 익숙한 한식 문화는 '네 것'과 '내 것'이라는 구분과 소유의 경계선을 무너뜨린다. 좋은 음식, 맛있는 음식 중 가장 먹음직스러운 부분을 상대방의 밥그릇에 살짝 얹어 주는 우리의 식문화는 연인이나 가족, 타인의 밥그릇에 제일 좋은 것을 얹어 주려는 〈마음〉이 느껴진다.

어린 시절 아버지는 노릇노릇 정성스럽게 구워진 갈치구이가 상에 올라올 때마다 젓가락으로 가시가 있는 몸통의 양옆 부분을 분리해서 자신의 밥그릇에 올려놓고, 가운데 부분의 가장 도톰한 생선 살만을 어린 우리들의 밥그릇에 차례대로 올려 주곤 하셨다.

지금도 가끔 한국을 방문할 때마다 아버지는 어김없이 갈치구이의 몸통을 양보하신다. 그리고 이제 그 갈치구이의 몸통 부분은 내가 아닌 그때의 나만큼 어렸던 딸아이의 밥그릇으로 가는 모습을 본다. 아버지였던, 그리고 이제는 할아버지가 되신 묵묵한 가장의 사랑은 그렇게 물 흐르듯 자연스러우면서도 말없이 밥상 안에서 표현된다.

매해 여름, 스웨덴의 스톡홀름에서는 Korean Culture Festival (한국 문화 축제)이 열린다. 이날은 스웨덴 각지에서 한국 식당을 운영하시는 분들이 부스를 마련하여 한국 음식을 판매하고, K-pop, 태권도, 전통 놀이, 한국식 메이크업에 이르는 다양한 문화 부스들이 푸르름이 가득한 스톡홀름의 아름다운 공원 광장에 펼쳐진다.

〈한국 문화 축제: k-pop 장기자랑〉

〈한국 문화 축제: 전통놀이〉

한국의 맛과 멋을 두루 경험해 볼 수 있는 절호의 기회가 스웨덴 사람뿐만 아니라 전국에 흩어져 있는 한국 교민들도 찾아들게 하는 힘을 갖는다. 그리웠던 한식의 향이 교민들의 마음을 넉넉히 채워 주고 한국문화에 호기심을 갖는 스웨덴 사람들의 궁금증을 맞이한다.

〈 시장 떡볶이처럼요! 한국문화 축제에서〉

공원의 분수대에 앉아 남편이 부스에서 사 온 도시락을 펼쳐 먹으려는데, 옆에 앉은 젊은 스웨덴 남녀 한 쌍이 우리처럼 도시락을 편다. 살짝 쳐다보니 비빔밥이다.

서툰 젓가락질을 하며 음식의 재료와 성분을 궁금해하는 대화 소리가 들린다. 그 모습을 바라보던 딸아이가

"엄마, 저 사람들 비빔밥 이상하게 먹어요."라는 말을 하였다.

비빔밥을 숟가락으로 비벼 먹지 않고, 시금치 하나, 고사리 하나, 콩나물 하나씩 따로 젓가락에 걸치듯이 건져 먹는 모습이 보였다. 프렌치프라이를 케첩에 찍어 먹듯이, 야채를 하나씩 건져내어 빨간색 고추장 양념에 쓱 한번 찍고, 맵다 싶으면 하얀 밥을 숟가락으로 먹고 있었다.

"괜찮아. 그래도 맛있을걸!"

직장과 학교에 가는 남편과 딸아이의 아침은 매번 토스트나, 팬케익, 샐러드와 쥬스로 시작한다. 우리의 음식 향이 혹여나 타인들에게 낯선 이질감을 안겨 줄까, 한식을 먹을 때에도 신경이 쓰인다. 하지만 저녁은 다르다. 김치찌개나 된장찌개, 청국장도 스스럼이 없다. 김치는 기본이고 불고기나 제육 볶음, 잡채, 고등어조림 등의 주요리를 선택해 식탁에 올려놓으면 '자알 먹었다'는 배부른 만족감으로 하루 동안 쌓였던 긴장감이 풀리고 부족했던 무언가가 가득 채워지는 느낌에 몸이 나른해 진다.

외국에 나와 오랜 시간 살아가며 현지 식사가 익숙해질 만도 한데 그렇지가 않다. 배추를 구하기 위해 멀리 운전하고, 멸치액젓 대신 국적 불명의 피시소스를 구해 김치를 한다. 먼 곳으로 여행을 할 때에도 라면과 참치캔, 맛김을 잊지 않는다.

한국의 맛! 나는 미국의 햄버거도, 영국의 피쉬앤 칩스도, 스웨덴의 미트볼도 아닌 언제 먹어도 물리지 않는 한식이 제일 좋다.

마무리 글

계획치 않게 미국, 영국, 스웨덴이라는 곳에서 그 나라의 생활을 경험하고 직접 살아볼 기회가 생긴 것은 삶에 대한 도전과 배움의 의미가 있었다.

젊음의 패기로 생활의 어려움을 헤쳐 나갔던 미국에서는 도전과 끈기를 배웠고, 전통과 역사가 숨을 쉬는 영국이라는 나라에서는 서로의 다름을 상대방의 입장에서 조금 더 인정하려 노력해 보는 시간을 갖게 되었다. 스웨덴은 올라갈 곳이 없는 평등을 기반으로 한 사회 구조적 측면에서 〈이질적이지만 색다른 문화〉를 익히게 되었다. 숙련된 동네 미용사의 월급이 대학교수보다 많고 자동차 정비사 자격증이 박사학위만큼 가치 있는 곳, 평등이 사회를 끌어 나가는 최대의 가치인 스웨덴이라는 나라는 지금껏 경험치 못한 여러 생각을 하게 한다.

이렇게 다양한 배움을 주는 이 나라들의 역사와 문화, 가치 그리고 그 속의 사람들이 고맙기도 하지만 나의 뿌리는 변함없는 나의 고국 그리운 대한민국이다.

어느 나라에서건 샐러드 칸에 김치라는 한국 메뉴가 등장하고, 비빔밥, 불고기, 잡채 등을 맛있다고 웃으며 먹는 외국인 친구들을 보면 괜스레 어깨에 힘이 들어간다. 좀 더 자세히 설명해 주고 싶은 마음이 우러나 영어로 된 김치 레시피를 찾아가며 설명해 줄 때도 있고, 김치를 직접 만들어 줄 때도 있었다.

투표하는 날이 오면 버스와 기차를 갈아타면서 재외투표소에 찾아가 열심으로 투표하였다. 남편은 한술 더 떠 재외국민 투표 스웨덴 선거 관리 위원으로 등록까지 하였다.

외국인 친구와 다툰 두 번의 경험도 떠오른다. 미국에서 중국 친구와 함께 얼굴이 벌게지며 크게 말다툼을 한 적이 있었는데 그것도 생각해 보면 '백두산이 한국 땅이다, 아니 중국 땅이다'라는 영토 소유권을 두고 마치 서로의 나라를 대변하는 양국 장관들처럼 열을 토했었다. 일본 친구들이 '독재자의 딸이 대통령이 되었다'며 은근 비웃을 때도 팔은 안으로 굽는다고 나의 정치적 성향에 개의치 않고 최초의 여성 대통령이라는 점에서 의미가 있지 않니? 너네는 여자 대통령 뽑아 본 적 있니? 라며 그녀를 대변하였다.

BTS의 포스터를 받고 눈물짓는 스웨덴 청소년들과 현지에서 떡볶이를 만드는 외국인들, 칸의 황금 종려상을 휩쓴 봉준호 감독의 〈기생충〉, 노벨 박물관에서 만나본 김대중 대통령의 옥중 서필도 말할 나위가 없다. 대한민국이라는 나라가 만들어낸 이 엄청난 변화는 한국이라는 나라를 바라보는 세계인들의 따뜻한 시선에서 몸소 느낄 수 있게 되었다.

전 세계에 흩어진 점으로서 각자의 역할을 성실하고도 묵묵하게 감당하고 있는 해외 동포들이 자신의 존재를 정의 내릴 때, 아마도 〈대한민국〉은 타인과 다른 〈나〉라는 개인의 정체성을 이루어내는 가장 본질적인 역할을 하게 된다. 손흥민이 80m 드리블로 솔로 골을 넣었을 때, 맥주를 마시던 스포츠 바의 많은 이들이 'Are you Korean?'이라고 물으며 축하의 인사를 건네는 것도 〈나〉라는 개인이 갖는 존재의 정체성을 〈대한민국〉이라는 조국의 뿌리와 연결 지어 생각했기 때문일 것이다.

자신의 투표권을 행사하기 위해 1박 2일의 여행을 감행하는 해외 교포의 심리도 〈대한민국〉의 국민으로서 자신의 정체성을 더욱 공고히 하고 싶은 이유에서 온 것은 아닌지 모르겠다.

KIM DAE JUNG 2000

Breven skrev Kim Dae-jung till sin hustru
från fängelset. Hon stickade kläder
för att han skulle kunna hålla sig varm.

These letters were written by Kim Dae-jung
to his wife from prison. She knitted clothing
for him to keep him warm.

〈 스톡홀름 노벨 박물관: 고 김대중 대통령의 옥중서신과 신발〉

〈봉준호 감독의 기생충: 스톡홀름에서〉

〈자랑스런 대한민국 국민: 뉴욕에서〉

〈자랑스런 대한민국 국민: 영국에서〉

〈대한민국〉이라는 공간이 아닌 〈타국〉이라는 공간에서 하루하루 삶을 살아가는 해외 동포들에게 우리의 조국은 개인을 버티게 하는 가장 근본적인 힘의 원천이며 뿌리이다. 가장 아름다운 나라 한국을 소망하던 백범 김구 선생님의 마음과 민주주의를 지키려 수백만이 들었던 촛불이 내 가슴속에도 자리 잡고 있다.

한국이라는 조국, 우리의 대한민국을 사랑한다.